15 Apr. 83

With Compliments,
From the Berlin
Information Center

Herman Witzlaugh

BERLIN

BERLIN

LANDSCHAFTEN EINER STADT

FOTOGRAFIERT
VON
MANFRED HAMM

HERAUSGEGEBEN
VON
RICHARD SCHNEIDER

NICOLAISCHE VERLAGSBUCHHANDLUNG BERLIN

LAYOUT: DIETER WINZENS

Umschlagbild: Fassade eines Hauses am Kurfürstendamm
Titelbild: Blick auf eines der drei Becken des Westhafens

Viersprachige Bildkommentare Seite 127 ff.

Übersetzungen:
Ann Robertson (englisch), Anne-Marie Geyer (französisch),
Pedro Rodríguez (spanisch)

2. Auflage 1978

Satz: Fotosatz Udo Richter, Berlin
Schrift: Antique Olive,
gesetzt auf der »diatronic s« der H. Berthold AG, Berlin
Offsetlithos: Meisenbach, Riffarth & Co – Bruns & Stauff GmbH, Berlin,
Carl Schütte & C. Behling, Berlin
Gedruckt auf Patricia 135 g/qm der igepa
Druck: Passavia, Passau
Einband: Lüderitz & Bauer, Berlin
Printed in Germany
ISBN 3-87584-060-7

VORWORT

Seit dem Ende des Zweiten Weltkrieges sind mehr als dreißig Jahre vergangen. Berlin hat sich in dieser Zeit wie kaum eine andere Stadt in Deutschland verändert. Und doch scheint diese Stadt in vielen Dingen altmodisch und stehengeblieben zu sein. „Das gibt es nur in Berlin!" und: „Das gibt es nur noch in Berlin!" – oft spontan geäußerte Empfindungen, die beide auf das Erscheinungsbild der Stadt zutreffen. Das Weltstädtische und das Dörfliche, das Urbane und das Provinzielle liegen hier eng beieinander. Es hängt wohl mit dieser einmaligen Mischung zusammen, daß die meisten Berliner glauben, nur hier und nicht anderswo leben zu können – trotz der Teilung ihrer Stadt, der Insellage West-Berlins und der langjährigen äußeren Bedrohung.

Berlin heute – das ist: Kurfürstendamm und Kreuzberg, Märkisches Viertel und Mauer, Havellandschaft und Hansaviertel. Berlin – das bedeutet: Theatertreffen und Filmfestspiele, Museen und Galerien, Deutsche Oper und Philharmonie, und es bedeutet – immer noch – die größte deutsche Industriestadt. Berlin – das heißt aber auch, die Frage nach der Zukunft der Stadt stellen, nach ihren Funktionen und ihren Perspektiven.

Der vorliegende Bildband erfaßt die Landschaften dieser Stadt auf eine besondere, eindringliche Weise und beschränkt sich dabei bewußt auf Berlin (West). Die Fotografien von Manfred Hamm sind mehr als nur Abbilder realer Gegebenheiten. Sie offenbaren Wesenszüge einer Stadt, die geprägt ist von ihren Gegensätzen. Der Anspruch dieses Buches besteht darin, sie sichtbar zu machen: in Bildern und Gegen-Bildern.

Richard Schneider

PREFACE

More than thirty years have passed since the end of World War II. During this period Berlin has changed more than any other German city. Even so, Berlin seems to have remained old-fashioned in many ways, almost as if it had stood still in time. "That's only possible in Berlin!" and "The only place this still exists is in Berlin!" are two of the commonest spontaneous remarks provoked by this city's character and appearance. Here, one finds an exciting international flair and peaceful rural settings, the urban and the provincial lie side by side. It probably has something to do with this unique mixture, that most Berliners believe they can only live here and nowhere else, despite the division of the city, West Berlin's insular location and the many years of feeling externally threatened.

Berlin today – this brings to mind the Kurfürstendamm and Kreuzberg, the Märkisches Viertel and the Wall, the Hansaviertel and scenes along the river Havel. Berlin means theatre meetings and film festivals, museums and galleries, the Deutsche Oper and the Philharmonie. It is, in addition, still the largest German industrial city. Berlin – the name also raises questions about the city's future, its functions and perspectives.

This pictorial review captures scenes of the city in an especially poignant way and is consciously restricted to West Berlin. The photographs, taken by Manfred Hamm, are not merely superficial duplicates of reality. They seek to expose the essential traits of a city so characteristically formed by its contrasts and contradictions. It is the aim of this book to make them visible – in images and counter-images.

Richard Schneider

PRÉFACE

Plus de trente années se sont écoulées depuis la fin de la seconde guerre mondiale. Berlin, plus que toute autre ville d'Allemagne, s'est transformée. Et pourtant à bien des égards cette ville a conservé les traits du passé, semble s'être arrêtée. «Cela n'est possible qu'à Berlin!» ou bien encore «Cela n'est plus possible qu'à Berlin!» – expressions spontanées de sentiments qui reflètent bien l'image que suggère la ville de Berlin. A la fois métropole et village, ville et province. C'est ce singulier mariage qui fait sans doute que la plupart des Berlinois croient ne pouvoir vivre qu'ici et pas ailleurs, malgré la ville divisée, malgré son insularité, malgré la menace extérieure résistant aux années.
Berlin aujourd'hui, c'est le Kurfürstendamm et Kreuzberg, le Märkisches Viertel et le mur, la Havel et le Hansaviertel. Berlin, cela signifie les festivals du théâtre et du cinéma, les musées et les galeries, la Deutsche Oper et la Philharmonie, et cela signifie encore et toujours la plus grande ville industrielle d'Allemagne. Mais c'est également le point d'interrogation sur l'avenir de la ville, de ses fonctions et de ses perspectives.
Ce recueil de photographies saisit les paysages de la ville de Berlin d'une manière particulière, pénétrante, et se limite volontairement à Berlin-Ouest. Les photographies de Manfred Hamm ne sont pas la simple reproduction des données réelles. Elles dévoilent le caractère d'une ville marquée par l'empreinte des contrastes. Le but de ce livre est de les mettre en relief: en images et contre-images.

Richard Schneider

PROLOGO

Desde la terminación de la Segunda Guerra Mundial han transcurrido más de treinta años. Apenas habrá ciudad alemana que, en esa época, haya cambiado tanto como Berlín. Y, sin embargo, esta ciudad parece estar en muchas cosas anticuada, como si el tiempo se hubiera detenido en ella. "¡En esto Berlín tiene la exclusiva!" y: "¡Esto ya solo se da en Berlín!" son impresiones espontáneamente expresadas que reflejan perfectamente la imagen de la ciudad. Lo cosmopolita se mezcla aquí con lo pueblerino; el aire de gran ciudad, con el ambiente provinciano. Es una rara mezcla que contribuye curiosamente a que la mayoría de los berlineses crea que no podría vivir en parte otra alguna, pese a la escisión de la ciudad, a la situación insular de Berlín Oeste y a la amenaza exterior durante años.
Berlín es hoy día Kurfürstendamm y Kreuzberg, Märkisches Viertel y muro, paisaje del Havel y Hansaviertel. Berlín significa: jornadas teatrales y festivales de cine, museos y galerías, Opera Alemana y Filarmónica; y significa – todavía – la mayor ciudad industrial de Alemania. Sin olvidar que Berlín significa también la necesidad de plantear el interrogante de su futuro, de sus funciones y perspectivas.
El presente tomo ilustrado capta los paisajes de esta ciudad de manera singular y penetrante, limitándose con toda intención a Berlín Oeste. Las fotografías de Manfred Hamm son algo más que meros trasuntos de circunstancias reales; revelan rasgos esenciales de una ciudad caracterizada por sus contrastes. Hacerlos ostensibles en una contraposición de imágenes, es a lo que aspira este libro.

Richard Schneider

EINFÜHRUNG

Berlin ist eine alte Stadt. Ihre Anfänge liegen um das Jahr 1200. Zu dieser Zeit entstanden auf zwei benachbarten Spreeinseln die Siedlungen Berlin und Cölln, die sich bald zu wichtigen Handelsplätzen entwickelten. Im Jahre 1307 vereinigten sich die beiden Orte zu gemeinsamer Verwaltung. Trotz politisch unruhiger Zeiten erlebte die Doppelstadt Berlin-Cölln im 14. Jahrhundert einen großen wirtschaftlichen Aufschwung und den Höhepunkt ihrer Selbständigkeit. Das änderte sich, als der Kurfürst von Brandenburg in der Stadt ein Schloß errichtete. Die Bürger, empört über den Verlust ihrer Freiheit, probten den Aufstand. Vergebens. Berlin wurde 1470 Residenz des Landesherrn – und blieb es bis 1918.

Wer heute durch Berlin geht oder fährt, merkt kaum, daß er sich auf historischem Boden bewegt. Die Bürgerstadt des Mittelalters und die Renaissancestadt der Kurfürstenzeit sind aus dem Stadtbild verschwunden. An die Vergangenheit erinnern nur noch Straßennamen und einzelne Gebäude. Was nicht durch Kriegswirren und Feuersbrünste zerstört wurde, das fiel häufig der Spitzhacke zum Opfer. In Berlin war man schon immer besonders abrißfreudig, und das historische Bewußtsein scheint hier schwächer ausgeprägt zu sein als in anderen deutschen Städten.

Als aus dem Kurfürstentum Brandenburg 1701 das Königreich Preußen wurde, zählte Berlin 30 000 Einwohner. Durch Stadterweiterungen, Einwanderungen und starken Zuzug aus der Mark wuchs die Zahl der Einwohner bald auf das Doppelte. Unter Friedrich dem Großen rückte Berlin in die Reihe der europäischen Hauptstädte auf. Daß der König seinem Sommersitz Potsdam den Vorzug gab, beeinträchtigte die Entwicklung Berlins nicht. Die Tafelrunde von Sanssoucis mit ihrem aufgeklärten König und dessen französisch parlierenden Gästen machte das Eigenleben der nahegelegenen Hauptstadt nur um so deutlicher. Kunst und Wissenschaft standen in Blüte; Handel und Gewerbe nahmen einen großen Aufschwung. Als Friedrich der Große 1786 starb, hatte Berlin bereits 150 000 Einwohner.

Das äußere Bild erfuhr während des 18. Jahrhunderts erhebliche Veränderungen, vor allem durch eine Vielzahl öffentlicher Prachtbauten, die das Ansehen der Stadt erhöhen sollten. Kurz vor der Wende zum 19. Jahrhundert wurde das Brandenburger Tor errichtet, gekrönt von einer Quadriga mit der Siegesgöttin. Nach seinen Siegen über die preußischen Truppen zog der französische Kaiser Napoleon 1806 durch dieses Tor in Berlin ein. Drei Generationen später,

1871, wurde in Versailles, mitten im besiegten Frankreich, der preußische König zum Deutschen Kaiser ausgerufen. Hauptstadt des neuen Deutschen Reiches wurde, wie nicht anders zu erwarten, Berlin.
Es ergab sich von selbst, daß die zusätzliche politische Funktion die Anziehungskraft der Stadt noch verstärkte. Zum Ausdruck kam das vor allem in der sprunghaft anwachsenden Einwohnerzahl. Sie stieg von rund 800 000 im Jahre der Reichsgründung auf nahezu 2 Millionen um die Jahrhundertwende. Berlin entwickelte sich zur Weltstadt – aber auch zur größten Mietskasernenstadt der Welt. Die schnell wachsende Industrie brauchte Arbeitskräfte. Diese strömten zu Tausenden in die Stadt hinein und suchten billige Unterkünfte im Norden und Osten Berlins. Das verstärkte den Zug der Wohlhabenden nach dem vornehmen Westen, Richtung Kurfürstendamm und Grunewald.
Die meisten Besucher der Reichshauptstadt sahen kaum etwas von den bedrückenden Arbeitervierteln und riesigen Industrieanlagen. Sie waren beeindruckt von den historischen Bauwerken in der Innenstadt, der Großzügigkeit des Straßennetzes und den modernen Verkehrsmitteln. Schnell und bequem waren mit diesen auch die Vororte zu erreichen, die längst zu eigenen Städten geworden waren und mehr und mehr nach Berlin hineinwuchsen. Nach dem Ersten Weltkrieg erfolgte dann der längst fällige Zusammenschluß Berlins mit sieben umliegenden, bisher selbständigen Städten, 59 Landgemeinden und 27 Gutsbezirken zu einer Einheitsgemeinde, offiziell „Groß-Berlin" genannt. Das Stadtgebiet umfaßte jetzt 878 qkm, und die Einwohnerzahl betrug 1920 fast 4 Millionen.
Das Kriegsende 1918 hatte auch das Ende des Kaiserreiches und die Ausrufung der Republik bedeutet. Berlin blieb Hauptstadt – zum erstenmal Hauptstadt einer parlamentarischen Demokratie! Trotz großer innerer Probleme entfalteten sich Kunst und Kultur schnell zu neuer Blüte. Künstler und Wissenschaftler, Schriftsteller und Schauspieler fühlten sich von der Weltoffenheit Berlins angezogen. Alle Karrieren führten an die Spree. Kein Fremder, der sich nicht nach kurzer Zeit in Berlin heimisch gefühlt hätte, dank der Assimilationskraft der Stadt und der Toleranz ihrer Bewohner. Die Weltwirtschaftskrise machte den „goldenen zwanziger Jahren" ein Ende. Die Industriestadt Berlin war besonders hart betroffen. Inflation und Arbeitslosigkeit begünstigten die radikalen Parteien, deren lärmende Demagogie die Geister verwirrte. Nachdem am 30. Januar 1933 die Nationalsozialisten die Macht ergriffen hatten, wurden alle Äußerungen geistiger Freiheit und demokratischer Gesinnung gewaltsam unterdrückt.

Als die zwölf Jahre der braunen Diktatur überstanden waren, glich die Stadt einer Trümmerwüste. Am 2. Mai 1945 kapitulierte die deutsche Garnison vor der Roten Armee; damit war für Berlin der Zweite Weltkrieg zu Ende. Es folgte die Aufteilung der Stadt in vier Sektoren und eine gemeinsame Viermächteverwaltung für Groß-Berlin. Das ging drei Jahre halbwegs gut, dann stellten die Sowjets ihre Mitarbeit ein. Der zwischen den einstigen Verbündeten ausgebrochene Kalte Krieg verschärfte sich. In der letzten Juniwoche 1948 begann die Blockade, die Sperrung der Verbindungswege zwischen Berlin und Westdeutschland durch die sowjetische Besatzungsmacht. Elf Monate lang wurde die Bevölkerung West-Berlins durch amerikanische, britische und französische Flugzeuge versorgt. Während dieser „Luftbrücke" konnten sich die Menschen weiterhin in ganz Berlin frei bewegen. Das änderte sich, als in den frühen Morgenstunden des 13. August 1961 die östlichen Machthaber zwischen dem sowjetischen Sektor und den drei Westsektoren Sperranlagen errichteten. Wenige Tage später begannen sie mit dem Bau der Mauer. Damit war die Teilung der Stadt auf eine sichtbare und brutale Weise endgültig vollzogen.
Zehn Jahre nach dem Mauerbau einigten sich alle vier Siegermächte nach langen und zähen Verhandlungen auf praktische Regelungen für Berlin. Am 3. September 1971 unterzeichneten sie ein Abkommen, das neun Monate später in Kraft trat. Dieses Viermächte-Abkommen bestätigte die politischen und rechtlichen Bindungen zwischen West-Berlin und der Bundesrepublik Deutschland und beendete so das zwei Jahrzehnte lange Ringen der Stadt um ihre Lebensfähigkeit. Aus dem Vertragswerk erwuchsen Hoffnungen und neue Möglichkeiten; es wurden damit aber auch die Grenzen für die Zukunft abgesteckt.
1945 war die alte Reichshauptstadt gemeinsames Symbol des alliierten Sieges über Deutschland. Dann wurde Berlin, an der Nahtstelle zweier gegensätzlicher Machtblöcke und unterschiedlicher Gesellschaftssysteme gelegen, Brennpunkt des Ost-West-Konflikts. Die Welt schaute auf diese Stadt und bewunderte den Freiheitswillen ihrer Bewohner. Bestehen blieb auch der Anspruch Berlins, eines Tages wieder Hauptstadt zu sein, Hauptstadt eines wiedervereinigten, demokratischen Deutschland. Die Anerkennung der Existenz zweier deutscher Staaten und das Viermächte-Abkommen von 1971 bedeuten das vorläufige Ende der Hauptstadt-Symbolik, wenn auch die nationale Einheit als politisches Ziel aufrechterhalten wird. Noch kann die Stadt nicht „zur Tagesordnung übergehen". West-Berlin wird auch in Zukunft keine „normale" Stadt sein können; die Insellage und das fehlende Hinterland bleiben die bestimmenden äußeren

Faktoren. Deshalb muß sich Berlin vor allem auf seine eigenen materiellen und ideellen Kräfte besinnen.

Dazu ein paar Stichworte. Als Kulturmetropole hat Berlin seinen alten Rang weitgehend erhalten können. Die Vielseitigkeit und Lebendigkeit der kulturellen Szene strahlt auf ganz Deutschland aus. Mehr als ein Dutzend, zum Teil hervorragender Bühnen rechtfertigen den Ruf Berlins als Theaterstadt. Internationales Ansehen genießen die Deutsche Oper und das Philharmonische Orchester. Weltgeltung besitzt Berlin auch als Museumsstadt. Mit seinen beiden Universitäten und zahlreichen Fachhochschulen ist Berlin ein wichtiges Zentrum für Bildung und Forschung. Es verfügt über ein wissenschaftliches Potential, wie es in diesem Umfang keine andere deutsche Stadt aufzuweisen hat. Das ist deshalb von Gewicht, weil auf Grund der Struktur der Berliner Wirtschaft der gesamte Dienstleistungsbereich immer bedeutender wird. Gemessen an der Zahl der Beschäftigten ist Berlin immer noch die größte Industriestadt Deutschlands. Doch ein stetiger Bevölkerungsrückgang und hohe Verluste an Arbeitsplätzen in den letzten Jahren zwingen zum Handeln.

Patentrezepte für die Lösung der Probleme gibt es nicht. Was aus dieser Stadt wird, hängt auch von den Berlinern selber ab. Das Überleben allein genügt nicht. Um neue Aufgaben zu finden und ein neues politisches Selbstverständnis zu gewinnen, müssen Engagement und Phantasie aufgebracht werden. Noch ist Berlin (West) eine Stadt auf der Suche nach ihrer Zukunft.

INTRODUCTION

Berlin is an old city. Its origins date back to around the year 1200. At that time the two settlements of Berlin and Cölln were founded on adjacent islands in the river Spree. They soon developed into important commercial centres. In 1307 they united under a joint administration. Despite the political instability of the time, the twin-town of Berlin-Cölln experienced considerable economic growth and reached the height of its self-sufficiency during the 14th century. But this changed when the elector of Brandenburg built a castle within the town. The townsfolk, angered by the loss of their independence, attempted an uprising. It was in vain. In 1470 Berlin became the official residence of the sovereign and remained so until 1918.

Anyone walking or driving through Berlin today hardly realises that he is on historical ground. Traces of the Middle Ages and the Renaissance town of the Prince-Electors have all but vanished. Only the street names and a few individual buildings act as reminders of the past. What was not destroyed by war or fire often became the victim of demolition workers. Berlin always showed a tendency to tear down the old and build anew, indicating a certain lack of historical awareness compared with other German cities.

When the Electorate of Brandenburg became the Kingdom of Prussia in 1701, Berlin had 30,000 inhabitants. The population then rapidly doubled as a result of territorial expansion and immigration, especially from the surrounding rural Mark of Brandenburg. Under Frederic the Great, Berlin moved up into the ranks of the major European capitals. The fact that the king preferred to live in his summer residence out in Potsdam did not inhibit the growth of Berlin. The round-table discussions held by the enlightened king with his French-speaking guests at Sanssoucis, simply emphasized the independent existence of the nearby capital. The arts and sciences flourished; trade and commerce continually prospered. When Frederic the Great died in 1786, Berlin had a population of 150,000.

During the 18th century the external appearance of Berlin changed considerably, mainly because of the large number of ostentatious municipal buildings, which were intended to enhance the city's image. Shortly before the turn of the century the Brandenburg Gate was erected, crowned by a quadriga driven by the goddess of victory. The French emperor, Napoleon I., marched into Berlin through this gate in 1806, having defeated the Prussian army.

Three generations later, in 1871, the King of Prussia was proclaimed Emperor of Germany at Versailles, in the middle of defeated France. The capital of the newly founded German Empire was, as could be expected, Berlin.
Not surprisingly, this additional political function greatly increased the city's attraction, which is illustrated by the dramatic increase in the population. It rose from 800,000 in 1871 to nearly two million at the turn of the century. Berlin developed into a metropolis – but it also became one of the world's largest complexes of tenement housing. Workers were needed for the swiftly growing industry. They flowed into the city by the thousand and sought low priced accommodation in the North and East of Berlin. This caused the wealthy to move increasingly into the more fashionable western part of the city, in the direction of the Kurfürstendamm and Grunewald.
Most visitors to the German capital rarely saw the drab, depressing working-class districts and the huge industrial plants. They were highly impressed by the historical buildings in the city centre, the grandeur of the boulevards and the modern transport system. It was possible to travel quickly and conveniently to the neighbouring towns, which were rapidly developing in towards Berlin.
After World War I came the long overdue incorporation of the seven previously independent surrounding towns, 59 rural communities and 27 landed estates into the united municipality of "Greater Berlin". The city now covered an area of 878 square kilometres and had a population of almost 4 million by 1920. The end of the war in 1918 also brought an end to the monarchy and the proclamation of the Republic. Berlin remained the capital – but it had now become the first capital of a parliamentary democracy in Germany. In spite of much internal strife, the arts and cultural life soon flourished once more. Artists and scientists, writers and actors were drawn to Berlin by its fascinating international atmosphere. People from all walks of life came to the city on the Spree. Strangers soon felt at home in Berlin, a city with great powers of assimilation and tolerance towards newcomers. The world economic crisis put an end to the "golden twenties". The industrial city of Berlin was especially hard hit. Inflation and unemployment encouraged the growth of radical political parties and demagogues only increased the general confusion. When the National Socialists seized power on the 30th of January, 1933, freedom of speech was curbed and the expression of democratic ideas was brutally suppressed.

When the twelve years of fascist dictatorship were finally over, the city lay devastated. On the 2nd of May, 1945, the German garrison surrendered to the Red Army. This marked the end of the Second World War for Berlin. The city was subsequently divided into four sectors under a joint four-power administration. This functioned fairly well for three years until the Russians withdrew their cooperation. The Cold War, which had gradually been developing between the war-time Allies, rapidly grew worse. In the final week of June 1948 the Berlin Blockade began. All transit routes between Berlin and West Germany were sealed off by the soviet occupation authorities. For eleven months the people of West Berlin received supplies flown in by American, British and French aircraft. During the "Airlift" the Berliners were allowed to move freely within the whole of the city. The situation changed, however, when the eastern occupying powers began to erect barriers between the soviet sector and the three western sectors in the early hours of August 13th, 1961. A few days later they started to build the wall. The city was completely divided in a painful and visible way.

Ten years after the construction of the wall, the four Allies finally reached a practical agreement on Berlin, following long and tenacious negotiations. On September 3rd, 1971, they signed the agreement, which came into force nine months later. This Four-Power-Agreement confirmed the political and legal ties between West Berlin and the Federal Republic of Germany and thus concluded the city's twenty year struggle for existence. The agreement gave rise to new hopes and possibilities but it also defined the limits for the future.

In 1945 the former capital of the German Empire became the symbol of the Allied victory over Germany. Being on the border between two opposing power blocks and two divergent social systems, Berlin then became the focal point of the East-West conflict. The world looked towards this city and admired its people's determined desire for freedom. The hope still remains, that one day Berlin may again be the capital of a united and democratic Germany. The recognition of two separate German states and the Four-Power-Agreement have, for the time being, put an end to this possibility, although, theoretically, this political aim does still exist. The city still cannot be "its old self" again. Even in the foreseeable future, West Berlin cannot hope to be a "normal" city. Its insular location and the obvious absence of an immediate "hinterland" will continue to be the main external factors influencing its development.

For this reason Berlin will have to concentrate on its own material strength and intellectual faculties.
Here are a few notes in this context: In general terms, Berlin has managed to retain its position as a cultural metropolis. Its divers and lively cultural scene attracts interest in the whole of Germany. From more than a dozen theatres a number are renowned for their leading productions, thus making a valuable contribution to Berlin's reputation as one of the most important centres of the performing arts. The Deutsche Oper and the Philharmonic Orchestra both enjoy international fame and recognition. Berlin's museums and galleries are of equal international standing. The two universities and numerous colleges make Berlin a major centre of education and research. Berlin possesses more scientific and academic potential than any other German city. This is particularly important, because Berlin's economy is weighted towards services rather than goods. In terms of the number of people employed, Berlin still represents the largest German industrial city. However, the continual decline in the population and the reduction in the number of jobs in recent years, certainly call for immediate action.
There is no patent recipe for solving these problems. What becomes of the city depends to a large extent on the Berliners themselves. To simply survive is not enough. Dedication and imagination will be needed in the search for new challenges and a viable political identity. West Berlin still remains a city in search of its future.

INTRODUCTION

Berlin est une vieille ville. Ses débuts remontent à peu près à l'an 1200. A l'époque, ce fut la naissance sur deux îles voisines de la Spree des cités de Berlin et de Cölln qui devinrent bientôt d'importants centres de commerce. En 1307, les deux agglomérations optèrent pour une administration commune. Malgré les troubles politiques, la double ville Berlin-Cölln connut au 14ème siècle un grand essor économique et vécut l'apogée de son autonomie. La situation se modifia lorsque le Kurfürst von Brandenburg – Electeur de Brandebourg – érigea un château dans la ville. Les citoyens, indignés de la perte de leur liberté, tentèrent, mais en vain, de se révolter. Berlin devint en 1470 la résidence de l'Electeur et le resta jusqu'en 1918.

Celui qui aujourd'hui parcoure la ville de Berlin, à pied ou en voiture, se rend à peine compte qu'il se trouve en des lieux historiques. La ville bourgeoise du Moyen-Âge et la ville Renaissance du temps des Electeurs n'ont laissé aucune trace. Seuls, les noms des rues et quelques bâtiments isolés témoignent encore du passé. Quant aux constructions qui avaient survécu aux flammes ou au chaos de la guerre, elles furent souvent la proie des démolitions. Sur ce plan, on a toujours eu la main leste à Berlin où la conscience de l'Histoire semble avoir été moins prononcée que dans d'autres villes allemandes.

Lorsque l'Electorat de Brandebourg devint en 1701 le royaume de Prusse, Berlin comptait 30 000 habitants. L'extension de la ville, l'immigration et l'afflux de gens venus de la Mark eurent bientôt fait doubler le chiffre de la population. Sous le règne de Frédéric Le Grand, Berlin avança au rang des capitales européennes.

Le fait que le roi choisît Potsdam comme résidence d'été ne compromit point le développement de Berlin. A Sanssoucis, la table à laquelle le roi «éclairé» conviait ses hôtes se plaisant à parler le français ne faisait qu'illustrer plus nettement la vie propre à la capitale toute proche. Les arts et les sciences atteignaient leur plein épanouissement, le commerce, l'artisanat et l'industrie prenaient un grand essor. A la mort de Frédéric Le Grand, Berlin comptait déjà 150 000 habitants.

La physionomie de la ville se modifia profondément au cours du 18ème siècle, en particulier grâce à une multiplicité d'édifices somptueux, destinés à accroître le prestige de la ville. Peu avant la fin du 18ème siècle, ce fut la construction du Brandenburger Tor, couronné par un quadrige avec la déesse de la Victoire. C'est la porte que franchit l'Empereur Napoléon 1er

en 1806 pour entrer dans Berlin après sa victoire sur les troupes prussiennes. Trois générations plus tard, le roi de Prusse fut proclamé Empereur allemand: c'était en 1871, à Versailles, en pleine France vaincue. Berlin, eût-il pu en être autrement, devint la capitale du nouvel Empire allemand.
Il va de soi que les nouvelles fonctions politiques de Berlin eurent pour effet d'accroître son pouvoir d'attraction, ce qui se traduisit par une augmentation en flèche de la population. Celle-ci passa d'environ 800 000 lors de la fondation du Reich à environ 2 millions dans les années 1900. Berlin devint ville internationale mais également le plus grand creuset de «casernes locatives» du monde. La poussée industrielle avait besoin de main-d'oeuvre. Des milliers d'ouvriers affluèrent dans la ville à la recherche de logements dans le nord et l'est de Berlin, ce qui accentua le déplacement des habitants aisés vers les quartiers élégants à l'ouest de la ville, en direction du Kurfürstendamm et de Grunewald.
La plupart des touristes visitant la capitale du Reich ne voyaient pas grand chose des opprimants quartiers ouvriers et des installations industrielles géantes. Ce qui les impressionnait, c'étaient les édifices historiques du centre-ville, la générosité du réseau routier et le modernisme des moyens de communication. Ceux- ci permettaient d'atteindre rapidement et confortablement les faubourgs qui étaient devenus depuis longtemps de véritables villes, s'intégrant ainsi de plus en plus à Berlin même.
Après la première guerre mondiale, ce fut enfin la fusion avec les sept villes suburbaines, jusqu'alors autonomes, les 59 communes et 27 grands domaines agricoles, consacrant la naissance d'une ville unique, portant le nom officiel de «Groß-Berlin», le Grand Berlin. La ville s'étendait alors sur 878 km^2 et la population s'élevait, en 1920, à presque 4 millions d'habitants. La fin de la guerre – 1918 – signifiait également la fin de l'Empire allemand et la proclamation de la République. Berlin resta capitale – pour la première fois capitale d'une démocratie parlementaire! – Malgré les grands problèmes internes, l'art et la culture connurent vite un nouvel essor. Artistes, scientifiques, écrivains et acteurs, tout le monde était attiré par l'ouverture d'esprit qui régnait à Berlin. Toute carrière digne de ce nom menait à la Spree. Le pouvoir d'assimilation de la ville, la tolérance de ses habitants étaient tels qu'au bout de peu de temps l'étranger se sentait chez lui. La crise économique mondiale devait cependant mettre un terme à l'âge d'or des années 20. En tant que ville industrielle, Berlin fut particulièrement touchée.

L'inflation et le chômage offrirent un terrain favorable aux partis radicaux dont la bruyante démagogie troublait les esprits. Après la prise de pouvoir des nationaux-socialistes, le 30 janvier 1933, ce fut la répression par la force de toutes les formes d'expression de la liberté intellectuelle et de la démocratie.
A l'issue des douze années de dictature nazie, la ville n'était qu'un désert de décombres. Le 2 mai 1945, la garnison allemande capitula devant l'Armée rouge; pour Berlin, ce fut la fin de la guerre. Il s'en suivit la division de la ville en quatre secteurs et l'administration quadripartite du Groß-Berlin. La situation se maintint tant bien que mal trois ans durant, puis les Soviétiques cessèrent de coopérer. La guerre froide qui s'était installée entre les alliés de l'époque se durcit. La dernière semaine de juin 1948 marqua le début du blocus par la puissance d'occupation soviétique des voies de liaison entre Berlin et l'Allemagne de l'Ouest. Pendant onze mois, la population berlinoise fut approvisionnée par les avions américains, britanniques et français. Durant la période de la «Luftbrücke» – pont aérien –, les Berlinois pouvaient circuler librement dans toute la ville. Mais tout changea lorsqu'au petit matin du 13 août 1961, les forces de l'Est érigèrent des barrages entre le secteur soviétique et les trois secteurs de l'Ouest, pour commencer quelques jours plus tard la construction du mur. C'était la consécration tangible et brutale de la division de la ville.
Dix ans après la construction du mur, les quatre puissances victorieuses s'entendirent à l'issue de longues et rudes négociations sur un ensemble de règles applicables à Berlin. Elles signèrent le 3 septembre 1971 un accord qui entra en vigueur neuf mois plus tard. Cet accord quadripartite confirmait les liens politiques et juridiques entre Berlin-Ouest et la République fédérale allemande, mettant ainsi fin à deux décennies de lutte pour la survie de la ville. Les traités furent à l'origine de nouveaux espoirs, de nouvelles perspectives; tout en dictant les limites s'imposant à l'avenir de la ville.
En 1945, la vieille capitale du Reich était le symbole commun de la victoire des alliés sur l'Allemagne. Puis Berlin, ligne de démarcation de deux blocs de puissances antagonistes et de systèmes sociaux divergents, devint le foyer du conflit Est-Ouest. C'est alors que le monde se tourna vers cette ville pour admirer la volonté de liberté de ses habitants. Cependant que subsistait ce voeu profond de redevenir un jour capitale, la capitale d'une Allemagne réunifiée, démocratique. La reconnaissance de l'existence des deux états allemands et l'accord quadripartite de 1971 signifient pour l'instant la fin de cette «symbolique» de la

capitale, même si l'unité nationale est maintenue comme but politique. Et malgré tout la ville de Berlin-Ouest ne peut pas «passer à l'ordre du jour». Berlin-Ouest ne pourra pas être, même à l'avenir, une ville «normale»; sa situation insulaire, son manque d'arrière-pays restent les facteurs extérieurs décisifs. C'est pourquoi Berlin doit avant tout prendre conscience de ses forces matérielles et spirituelles. Voici quelques réflexions à ce sujet.
Sur le plan culturel, Berlin a, pour la plus grande part, réussi à conserver son rang de métropole. La scène culturelle, par sa multiplicité, sa vivacité, rayonne sur toute l'Allemagne. Plus d'une douzaine de théâtres, en partie excellents, justifient la réputation de Berlin en tant que ville de théâtre. Son opéra, la Deutsche Oper, et son orchestre philharmonique jouissent d'une renommée mondiale. Avec ses deux universités et de nombreuses écoles supérieures spécialisées, Berlin est un centre important pour l'enseignement et la recherche. La ville dispose d'un potentiel scientifique nettement supérieur à celui des autres villes allemandes. C'est d'une importance particulière car le secteur des prestations de service, étant donné la structure spécifique de l'économie berlinoise, a une signification de plus en plus grande. Sur le plan des effectifs, Berlin est encore et toujours la plus grande ville industrielle d'Allemagne. Cependant, le recul démographique constant et la diminution du nombre d'emplois caractérisant les dernières années contraignent à l'action.
Il n'y a pas de panacée pour résoudre les problèmes. Le sort de la ville dépend également des Berlinois eux-mêmes. Survivre ne suffit pas. Pour se créer de nouveaux objectifs, pour parvenir à une nouvelle conscience politique, il faut faire preuve d'engagement et d'imagination. Aujourd'hui encore, Berlin-Ouest est une ville à la recherche de son avenir.

INTRODUCCION

Berlín es una ciudad antigua; sus orígenes se remontan al año 1200 aproximadamente. Por esa época se crearon en dos vecinas islas del Spree los poblados de Berlín y Cölln, que pronto se convertirían en importantes centros comerciales. En el año 1307 se unieron bajo una administración común. Pese a los tiempos revueltos en el plano político, la doble ciudad Berlín-Cölln experimentó en el siglo XIV un gran florecimiento económico, alcanzando el punto culminante de su autonomía. Esta se acabó cuando el príncipe elector de Brandeburgo construyó un palacio en la ciudad. Los ciudadanos, indignados por la pérdida de su libertad, trataron de rebelarse. En vano. Berlín pasó a ser en 1470 – y sin interrupción hasta el año 1918 – residencia del soberano.
Quien recorre hoy día la ciudad apenas advierte que se mueve sobre terreno histórico. La ciudad medieval y la ciudad renacentista de la época de los príncipes electores desaparecieron de la fisonomía urbana. El pasado lo evocan solamente nombres de calles y algún que otro vestigio arquitectónico. Lo que no fue destruido en los avatares de la guerra o por los incendios cayó víctima de la piqueta. En Berlín se ha tenido desde siempre especial debilidad por el derribo; la conciencia histórica parece estar aquí menos arraigada que en otras ciudades alemanas.
Cuando del electorado de Brandeburgo nació el reino de Prusia, en 1701, Berlín contaba 30.000 habitantes, cifra que pronto se duplicaría al irse extendiendo la ciudad y recibir una fuerte corriente inmigratoria. Bajo Federico el Grande, Berlín avanza a la categoría de capital europea. El hecho de que el rey tuviese predilección por su residencia de verano en Potsdam no afectó al desarrollo de Berlín. La tertulia de Sanssoucis con el rey ilustrado y sus invitados, que imbuidos por la cultura francesa parlaban en el idioma de Voltaire, venía a poner tanto más de manifiesto la vida propia de la vecina capital. El arte y las ciencias florecían; el comercio y la industria registraban una gran expansión. Al morir Federico el Grande, Berlín tenía ya 150.000 habitantes.
La imagen externa de la ciudad experimentó considerables cambios durante el siglo XVIII, sobre todo por el gran número de edificios suntuosos, destinados a realzar el prestigio de la capital. Poco antes de finalizar el siglo XIX fue erigida la Puerta de Brandeburgo, coronada por una cuadriga con la Diosa de la Victoria. Por esta puerta haría su entrada en la ciudad el emperador Napoleón en el año 1806, luego de derrotar a las tropas prusianas.

Tres generaciones después – corría el año 1871 –, el rey de Prusia era proclamado Emperador Alemán en Versalles, en medio de la Francia vencida. Como era obvio, Berlín se constituyó en capital del nuevo Reich.
Esta función política complementaria vino a intensificar la fuerza de atracción de la ciudad, cuyo número de habitantes registró un vertiginoso aumento, pasando de unos 800.000 en el año fundacional del Segundo Imperio a casi dos millones a finales de siglo. Berlín se transformó en ciudad cosmopolita; pero también en la ciudad con la mayor aglomeración de bloques de viviendas en el mundo. La pujante industria necesitaba mano de obra; y ésta, que afluía a la ciudad por miles, buscaba alojamiento barato en el norte y el este de Berlín. Esto vino a reforzar la tendencia de los pudientes hacia la elegante zona oeste, en dirección a Kurfürstendamm y Grunewald.
Para la mayoría de los visitantes de la capital del Reich pasaban desapercibidos los deprimentes barrios obreros y las gigantescas instalaciones industriales. Ellos regresaban impresionados por los históricos edificios en el centro de la ciudad, por las espléndidas avenidas y los modernos medios de locomoción, con los que se alcanzaba también rápida y cómodamente los suburbios que se habían ido convirtiendo en auténticas ciudades cuyo crecimiento terminó integrándolas en Berlín.
Tras la Primera Guerra Mundial se formalizó la unión de Berlín con siete ciudades circundantes hasta entonces autónomas, 59 municipios rurales y 27 caseríos, integrando un solo municipio denominado oficialmente "Gran Berlín". El término municipal abarcaba ahora 878 kilómetros cuadrados; y el número de habitantes ascendía en 1920 a casi 4 millones.
El fin de la guerra en 1918 significó también el fin del Reich y la proclamación de la República. Berlín continuó siendo la capital, sólo que ahora – ¡por primera vez! – de una democracia parlamentaria. Pese a los grandes problemas internos, el arte y la cultura experimentaron rápidamente un nuevo florecimiento. Artistas y hombres de ciencia, escritores y actores se sentían atraídos por el ambiente cosmopolita de Berlín, por donde había que pasar para hacer carrera. Gracias a la fuerza de asimilación de la ciudad y a la tolerancia de sus habitantes, no había forastero que no se sintiese en ella como en casa al cabo de poco tiempo. La crisis económica internacional puso fin a los "dorados años veinte", afectando a Berlín, como ciudad industrial, con especial dureza. La inflación y el desempleo favorecieron a los partidos extremistas, cuya turbulenta demagogia sembraba la confusión en las mentes. A partir del

30 de enero de 1933 en que los nacionalsocialistas conquistaron el Poder, fueron oprimidas violentamente todas las manifestaciones de libertad intelectual y credo democrático.
Superados los doce años de dictadura nazi, la ciudad se asemejaba a un inmenso campo de ruinas. El 2 de mayo de 1945 capitulaba la guarnición alemana ante el Ejército Rojo, terminando para Berlín la Segunda Guerra Mundial. Siguió la división de la ciudad en cuatro sectores y una administración cuatripartita conjunta para el Gran Berlín, la cual funcionó más o menos durante tres años; luego los rusos suspendieron la colaboración. La guerra fría entre los antiguos aliados se recrudeció. En la última semana de junio de 1948 comenzó el bloqueo: el cierre de las vías de tránsito entre Berlín y Alemania Occidental impuesto por la potencia ocupante soviética. A lo largo de once meses, la población de Berlín Oeste fue abastecida mediante aviones norteamericanos, británicos y franceses. Durante este "puente aéreo", los habitantes de Berlín podían moverse aún libremente en toda la ciudad. Esto cambió el 13 de agosto de 1961 cuando los dirigentes del Este, a primera hora de la mañana, comenzaron a levantar barreras entre el sector soviético y los tres sectores occidentales. Pocos días después iniciaban la construcción del muro, consumando así definitivamente, de modo palpable y brutal, la escisión de la ciudad.
Diez años después de la construcción del muro, las potencias occidentales acordaron regulaciones prácticas para Berlín tras largas y duras negociaciones. El 3 de septiembre de 1971 suscribieron un acuerdo que entraría en vigor nueve meses después. Este Acuerdo Cuatripartito vino a confirmar los lazos políticos y jurídicos entre Berlín Oeste y la República Federal de Alemania, terminando con la pugna de la ciudad por su subsistencia durante dos decenios. El tratado infundió esperanzas y abrió nuevas posibilidades. Pero también fijó los límites en perspectiva de futuro.
En 1945, la antigua capital del Reich era símbolo común de la victoria aliada sobre Alemania. Luego, situada en la encrucijada de dos bloques antagónicos, se convirtió en foco del conflicto Este-Oeste. El mundo contemplaba esta ciudad y admiraba el afán de libertad de sus habitantes. También perduró la aspiración de Berlín a ser un día nuevamente capital, capital de una Alemania reunificada y democrática. El reconocimiento de la existencia de dos Estados alemanes y el Acuerdo Cuatripartito de 1971 significan por tiempo imprevisible el fin de ese simbolismo capitalino, aunque se mantenga la meta política de la unidad nacional. Todavía no puede pasar la ciudad "al orden del día". Berlín Oeste tampoco podrá ser en un futuro

previsible una ciudad "normal". Aislada de su territorio circundante, esta situación insular continuará siendo el factor externo determinante. Por esto conviene que Berlín confíe sobre todo en sus propias fuerzas materiales y espirituales. Sobre esto valgan solo unas breves palabras.

Berlín ha mantenido su antiguo rango como metrópoli cultural. La variedad y el dinamismo de su vida cultural irradia a toda Alemania. Más de una docena de teatros, en parte realmente excelentes, justifican la fama de Berlín como emporio de arte dramático. De prestigio internacional gozan la Opera Alemana y la Orquesta Filarmónica. Y renombre mundial posee también Berlín como ciudad de museos. Con sus dos universidades y numerosas escuelas superiores, Berlín es un centro importante de enseñanza e investigación. Dispone de un potencial científico cuya magnitud no tiene parangón en Alemania. Esto es tanto más importante si se observa que, por razón de la estructura de la economía berlinesa, el sector terciario adquiere un peso creciente. Por el número de ocupados, Berlín continúa siendo la mayor ciudad industrial de Alemania. Pero el constante descenso de población y la elevada pérdida de puestos de trabajo en los últimos años fuerzan a desplegar iniciativa.

La clave para solucionar los problemas nadie la tiene. El futuro de la ciudad depende también de los propios berlineses, que han de ser conscientes de que no basta simplemente con sobrevivir. Para hallar nuevas tareas y obtener una nueva identidad política hay que poner entusiasmo y desplegar fantasía. Berlín Oeste es todavía una ciudad en busca de su futuro.

DEM DEUTSCHEN VOLKE
Fragen an die deutsche Geschichte
Ideen, Kräfte, Entscheidungen
Von 1800 bis zur Gegenwart
·Zur Ausstellung

ISTANBUL
PAZARI-GMBH
ISTANBUL
VE

KRANZLER
SAROTTI

Steglitz
Mecklenburgische Straße

DAS DU DICH WEHREN
WILLST
EINSEHEN.
BRECHT
BR

Lipton Thee
3fach ausgiebiger
Reich

Traumstrand

Zuckerkranke
Ware
DER GUTE SCHUHPUTZ
RHEINLAND D'RUHRORT
4601850
WBn3497D.861To.

AUTO-VERMIETUNG
EINFAHRT

29.50
BACK
PARADIES

Jaffa
NER
Möbelhaus
Sichtkarten
Kasse
Eingang nur hier
BVG

RADIO

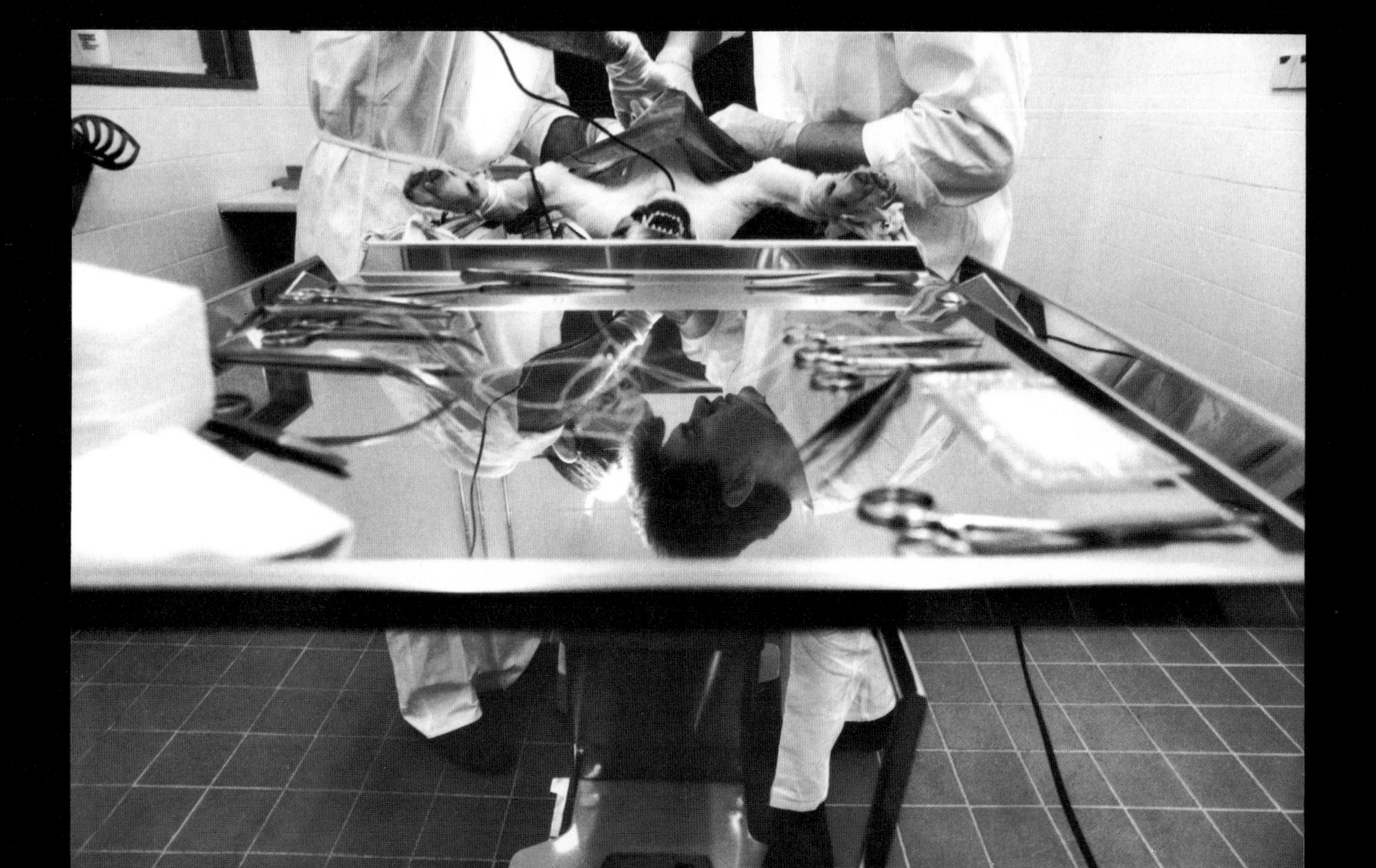

OUACHITA TECHNICAL COLLEGE

endol
für
für Zuckerkran
Ware
DER GUTE SCHUHPUTZ

Möbel
Kunst

STOP
NUR BEI ALARM

ROTEN
MOB
alle politischen
der DDR

CHECKPOINT CHARLIE

В БОЯХ С НЕМЕЦКО
ФАШИСТСКИМИ
ЗАХВАТЧИКАМИ
ЗА СВОБОДУ И
НЕЗАВИСИМОСТЬ
СОВЕТСКОГО
СОЮЗА
1941
1945

Achtung!
Weiße Bojen
nicht überfahren
rechts halten

CIRCUS RENZ

55

SPHÆRA
CIVITATIS
FRANCIÆ · ET · HIBERNIÆ
Proceres
Heroes
MAIESTAS
PATENT · PLVRA
LATENT
QVAM

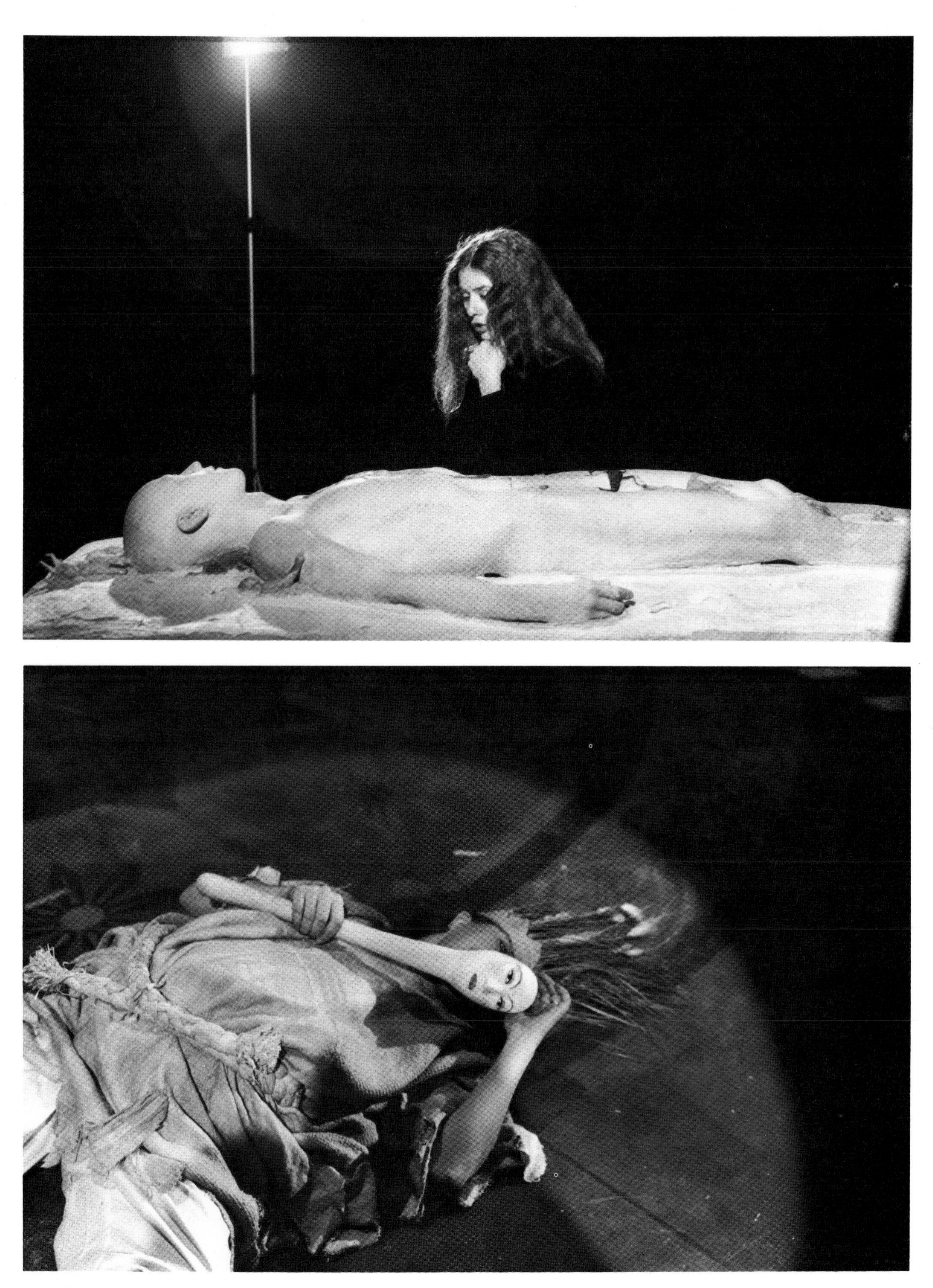

BERLIN MUSEUM
14

BILDKOMMENTARE

Die Nummern beziehen sich auf die entsprechenden Buchseiten.

25 Otto von Bismarck, der „Eiserne Kanzler", Gründer des Deutschen Reiches von 1871. Das Denkmal im Tiergarten am Großen Stern, 1901 errichtet, stand früher auf dem Platz der Republik vor dem Reichstag.

26 Der Reichstag, 1884–1894 erbaut, in Kaiserreich und Weimarer Republik Sitz des Parlaments. Die Giebelinschrift „Dem Deutschen Volke" wurde im Ersten Weltkrieg angebracht. Heute ist das Reichstagsgebäude ein Symbol der deutschen Teilung.

27 Ruine des Anhalter Bahnhofs am Askanischen Platz in Kreuzberg, einst Berlins Tor zum Süden. Der „Anhalter" war der belebteste und beliebteste Bahnhof der Reichshauptstadt. Im letzten Krieg wurde er stark beschädigt, später ganz abgerissen.

28 Schaufenster einer türkischen Fleischerei in Kreuzberg. In diesem Bezirk gibt es ganze Straßenzüge mit türkischem Aussehen. Die Türken bilden die stärkste ausländische Bevölkerungsgruppe in West-Berlin.

29 Das Kranzler-Eck, einer der bekanntesten Punkte der West-Berliner City. Neonlichter und Luxuslimousinen erzeugen hier den Eindruck von pulsierender Weltstadt und weltstädtischem Vergnügen.

30 Teil der Stadtautobahn im Bezirk Wilmersdorf. Dahinter das neue Heizkraftwerk an der Mecklenburgischen Straße mit den hundert Meter hohen Schornsteinen der drei Gasturbinen.

31 Aggression und Angst. Brecht-Zitat an der Wand: „Daß Du dich wehren mußt, wenn Du nicht untergehen willst, das wirst Du doch einsehen".

32 An der Knesebeckstraße im Innenstadtbezirk Charlottenburg. In Berlin entfallen statistisch gesehen auf ein Kind 3,7 Quadratmeter öffentliche „Spiel- und Tummelplätze".

33 Kinder in einem Hochhaus der Trabantenstadt „Märkisches Viertel" im Norden Berlins. Hier leben in rund 17 000 Wohnungen mehr als 47 000 Menschen.

34 An der Prinzenstraße in Kreuzberg am frühen Morgen. In West-Berlin müssen täglich 88 000 Hunde ausgeführt werden.

35 Mietshaus mit Werbeplakat in Charlottenburg. In West-Berlin gibt es noch elf an Flüssen oder Seen gelegene Freibäder.

36 Industriemotiv in Wedding, im Hintergrund die Firma Schering an der Müllerstraße. Der Arbeiterbezirk Wedding entwickelte sich in der zweiten Hälfte des 19. Jahrhunderts zum Sitz zahlreicher weltbekannter Unternehmen.

37 Türkische Gastarbeiter in einem Kreuzberger Betrieb. Insgesamt leben in West-Berlin ungefähr 85 000 Türken, einschließlich Frauen und Kinder. Hinzu kommen rund 30 000 jugoslawische, 8 000 griechische und 6 000 italienische Staatsangehörige.

38 Der Funkturm, ein Wahrzeichen der Stadt und ein „Lieblingskind" der Berliner. Der 138 Meter hohe, schlanke Stahlgitterbau mit Restaurant und Aussichtsplattform wurde 1926 feierlich eingeweiht.

39 Das Autobahn-Dreieck Funkturm: Anschluß der Avus an die Stadtautobahn. Die „Avus" – Abkürzung für „Automobil-Verkehrs- und Übungs-Straße" – wurde 1921 als erste Autorennstrecke Deutschlands eröffnet.

40 oben Der S-Bahnhof Savignyplatz in Charlottenburg. Die „Stadteisenbahn", die in den zwanziger Jahren elektrifiziert wurde, war früher das Hauptverkehrsmittel Berlins. Seit Kriegsende wird die S-Bahn in ganz Berlin von der Deutschen Reichsbahn der DDR betrieben.

40 unten Frachtschiff auf der Spree in der Nähe des S-Bahnhofs Jungfernheide. Rund ein Viertel aller Güter, die Berlin braucht, kommt auf dem Wasserweg in die Stadt.

41 Bahnhof Gesundbrunnen im Bezirk Wedding, einer von 77 S-Bahnhöfen in West-Berlin. Die Instandhaltung des Streckennetzes wird von Ost-Berlin sehr vernachlässigt.

42 oben Blick auf die West-Berliner City mit Gedächtniskirche und Europa-Center. Im Vordergrund die S-Bahn-Gleise vor dem Bahnhof Zoologischer Garten.

42 unten Mietshaus am Chamissoplatz in Kreuzberg. Dieser kleinste aller Berliner Bezirke ist auch der am dichtesten besiedelte. Hier kommen rund 15 000 Einwohner auf einen Quadratkilometer. In ganz Berlin (West) sind es nur etwas über 4 000.

43 Das Belvedere im Schloßpark Charlottenburg, 1788 nach Entwürfen von Langhans als Teehaus für Friedrich Wilhelm II. erbaut. Es enthält heute eine historische Porzellan-Sammlung aus Berliner Manufakturen.

44 In West-Berlin leben rund 450 000 Menschen im Alter von 65 oder mehr Jahren, das sind 22 Prozent der Gesamtbevölkerung. In der Bundesrepublik beträgt der Anteil der alten Menschen 12 Prozent.

45 oben Um die Jahrhundertwende erbautes Wohnhaus mit moderner Reklame an der Kantstraße in Charlottenburg.

45 unten Trotz sinkender Einwohnerzahl wächst die Menge des anfallenden Mülls von Jahr zu Jahr.

46 Blick vom Wedding aus über die Gleisanlagen des Lehrter Güterbahnhofs Richtung Moabit und Innenstadt.

47 Fabrikgebäude am Spreebogen in Moabit. Dieser industriereiche Stadtteil nördlich des Tiergartens erhielt seinen Namen durch die 1718 hier angesiedelten Hugenotten, die ihre neue Heimat nach dem biblischen Land der Moabiter benannten.

48 Fabrik am Teltow-Kanal in Neukölln. Der 1901–1906 vom Kreis Teltow erbaute Kanal war mit seinen Häfen und Nebenkanälen für die Ansiedlung von Industrie besonders geeignet.

49 Das Schloß Charlottenburg, eines der wenigen erhaltenen Zeugnisse barocker Baukunst in Berlin. Fast alle preußischen Könige des 18. Jahrhunderts haben den 1695 begonnenen Bau während ihrer Regierungszeit erweitert und ausgestaltet.

50 Ein Sarglager im Bezirk Kreuzberg. Die Bevölkerung West-Berlins wird nach offiziellen Schätzungen bis 1990 von jetzt knapp 2 Millionen auf etwa 1,7 Millionen zurückgehen.

51 Innenwelt einer Außenwand. In West-Berlin gibt es rund 600 000 Wohnungen, die älter als dreißig Jahre sind. Das ist mehr als die Hälfte des gesamten Wohnbestandes.

52 Produktionsstätten der Firma Schering im Bezirk Wedding. Gemessen an der Zahl der Beschäftigten, ist Berlin immer noch Deutschlands größte Industriestadt.

53 Der weithin sichtbare, 80 Meter hohe Schöneberger Gaskessel, erbaut 1907 für das Gaswerk an der Torgauer Straße.

54 oben Strukturen. Kohlenlager auf dem Gelände eines stillgelegten Bahnhofs.

54 unten Strukturen. Pflasterung im Innenhof des Charlottenburger Schlosses.

55 Eine Waschmittel-Reklame aus der Zeit vor dem Kriege an einem Haus in Charlottenburg.

56 Fabriken und Silos in der Nähe des Westhafens in Moabit.

57 Kurfürstendamm und Gedächtniskirche bei Sonnenaufgang. Die Berliner Ortszeit liegt 6 Min. 22 Sek. hinter der Mitteleuropäischen Zeit zurück.

58 Russisch-orthodoxe Kathedrale am Hohenzollerndamm in Wilmersdorf. Insgesamt sind in West-Berlin mehr als 30 verschiedene Religionsgemeinschaften tätig.

59 Landschaft bei Lübars, einem Dorf im Norden Berlins, das seinen bäuerlichen Charakter bewahrt hat.

60 Die U-Bahn-Station Görlitzer Bahnhof in Kreuzberg. Der Name erinnert an den einst hier gelegenen Fernbahnhof, der Ausgangspunkt in Richtung Spreewald und Riesengebirge war.

61 Der Breitscheidplatz mit der Kaiser-Wilhelm-Gedächtniskirche. Die 1891–1895 im neoromanischen Stil erbaute Kirche wurde im Zweiten Weltkrieg zerstört. Der Neubau entstand 1959–1961, unter Einbeziehung der Turmruine, nach einem Entwurf von Egon Eiermann.

62 Aufgetürmte Betonmassen in weithin flacher Landschaft. Das Märkische Viertel am Abend.

63 Hallenbad im Märkischen Viertel. Der Bau kommunaler Einrichtungen blieb hier lange Zeit hinter dem Wohnungsbau zurück.

64 Blick auf einen der großen Speicher des Westhafens. Er wurde 1923 in Betrieb genommen und ist Berlins größte und wichtigste Hafenanlage.

65 Fabrik in Marienfelde. In diesem zum Bezirk Tempelhof gehörenden Ortsteil ließen sich nach dem Kriege viele neue Industriebetriebe nieder.

66 oben Blick auf die Spandauer Altstadt mit Rathaus und Nikolaikirche. Der Ort, der an der Einmündung der Spree in die Havel entstand, erhielt schon 1232 Stadtrechte.

66 unten Schneebedecktes Feld bei Lübars. Als Wirtschafts- und Erwerbszweig spielt die Landwirtschaft in Berlin keine Rolle mehr.

67 Blick auf den Lietzensee im Bezirk Charlottenburg, ein innerstädtisches Wohngebiet in fast idyllischer Lage.

68 Fassade eines repräsentativen, um die Jahrhundertwende erbauten Wohnhauses am Kurfürstendamm, Ecke Leibnizstraße.

69 Schaufenster eines eleganten Geschäfts für Herrenmoden am Kurfürstendamm.

70 Forschungslabor bei Schering. Die 1871 als „Chemische Fabrik auf Actien" gegründete Gesellschaft errang in wenigen Jahrzehnten Weltgeltung. Heute ist die Schering AG eines der wenigen bedeutenden Unternehmen, deren Hauptverwaltung noch in Berlin ist.

71 Blick in den Lichthof der Technischen Universität an der Straße des 17. Juni. An den beiden West-Berliner Universitäten, der Technischen und der Freien Universität, sind zusammen rund 55 000 Studenten eingeschrieben.

72 Die Matthäus-Kirche aus dem 19. Jahrhundert mit der Neuen Nationalgalerie. Die beiden Bauwerke bilden den Mittelpunkt eines Kulturzentrums, das seit 1960 am Rande des südlichen Tiergartens entsteht.

73 Havelfischer bei Heiligensee. In den West-Berliner Gewässern werden jährlich noch etwa 25 000 Kilogramm Speisefische gefangen.

74 Stehengebliebenes in veränderter Stadt-Landschaft. Blick auf eine Brücke der Stadtautobahn.

75 Die Swinemünder Brücke im Bezirk Wedding, östlich des Bahnhofs Gesundbrunnen. Die Baukosten betrugen über eine Million Goldmark, weshalb sie im Volksmund „Millionenbrücke" genannt wurde.

76 Flughafen Tempelhof: fünfzig Jahre lang Berlins weltweit bekannter Flughafen für den zivilen Luftverkehr. Hier, auf dem Tempelhofer Feld, unternahmen im Jahre 1909 die amerikanischen Gebrüder Wright ihren aufsehenerregenden Motorflug.

77 Flughafen Tegel: seit 1975 neuer Zentralflughafen West-Berlins und einer der modernsten Flughäfen Europas. Zu Beginn der dreißiger Jahre war Tegel Übungsplatz für Raketenforscher. Hier unternahm der junge Wernher von Braun seine ersten Versuche.

78 Touristen am Potsdamer Platz beim obligaten Blick über die Mauer. Der einst verkehrsreichste Platz Berlins ist seit dem Bau der Mauer 1961 völlig verödet.

79 An der Grenze zwischen Ost und West: das Brandenburger Tor, Symbol der geteilten Stadt. Das Bauwerk wurde unter Friedrich Wilhelm II. in den Jahren 1788–1791 errichtet.

80 Blick auf einen Teil der östlichen Sperranlagen, hier zwischen den Bezirken Berlin-Mitte und Kreuzberg.

81 Die Silhouette Ost-Berlins vom Wedding aus gesehen, mit Fernsehturm, Hotel Stadt Berlin, Dom und Rotem Rathaus.

82 Der „Checkpoint Charlie", seit dem Bau der Mauer amerikanischer Kontrollpunkt am Übergang Friedrichstraße nach Ost-Berlin.

83 Sowjetisches Ehrenmal im Tiergarten nahe dem Brandenburger Tor. Die Sowjets errichteten das Denkmal nach Kriegsende aus dem Marmor der zerstörten Reichskanzlei Adolf Hitlers.

84 Gedenkkreuz für Opfer der östlichen Absperrungsmaßnahmen in der Nähe der Oberbaumbrücke. Die Spree bildet hier die Grenze zwischen Ost- und West-Berlin.

85 Bei dem Versuch, die Grenzhindernisse nach West-Berlin zu überwinden, kamen seit dem 13. August 1961 mehr als 80 Menschen ums Leben.

86 Ein Blick von Ost nach West. Seit 1972 können die Bewohner West-Berlins den anderen Teil der Stadt und die DDR bis zu 30 Tagen im Jahr besuchen.

87 Die von Soldaten der „Nationalen Volksarmee" bewachte Mauer ist 47 Kilometer lang.

88 Blick in eine Ost-Berliner Straße vom Westen her. Bis 1967 fuhren auch in West-Berlin Straßenbahnen.

89 Blick auf die Havel, die im Norden der Stadt die Grenze zwischen West-Berlin und der DDR bildet.

90 Angler an der Glienicker Brücke. Über die Mitte dieser Havelbrücke verläuft die Grenze zur DDR. 1949 bekam die Brücke von östlicher Seite den Namen „Brücke der Einheit".

91 Spaziergänger im Tegeler Forst, einem der schönsten Berliner Wälder. Von der Gesamtfläche Berlins sind 17 Prozent, etwa 157 qkm, von Wald bedeckt.

92 Blick auf die Rieselfelder westlich der Havel bei Gatow. Die um 1890 angelegten Rieselfelder dienen zum Teil auch heute noch der Abwässerbeseitigung.

93 Brücke über den Teltow-Kanal an der Grenze zu Ost-Berlin. Der 37 km lange Kanal bildet die Verbindung zwischen Dahme und Havel.

94 Alte Mühle am Buckower Damm in Britz. Das im 13. Jahrhundert entstandene, ehemalige Dorf Britz lockt im Frühling die Berliner scharenweise zur Baumblüte an.

95 Blick auf die in der Havel gelegene Pfaueninsel. Das kleine Schloß im romantischen Ruinenstil wurde 1794–1797 von Friedrich Wilhelm II. errichtet.

96 Angler am Tegeler See. Mit seinen bewaldeten Ufern und zahlreichen Inseln ist er ein beliebtes Ausflugs- und Erholungsgebiet.

97 oben Sonntägliches Picknick im Volkspark Klein-glienicke. Dieser ehemalige Schloßpark des Prinzen Carl von Preußen wurde 1825 von dem Garten-architekten Lenné angelegt.

97 unten Das Strandbad Wannsee, Berlins größtes und schönstes Freibad. Im Sommer wird der ein Kilometer lange Sandstrand oft von Zehntausenden bevölkert.

98 oben Die heideähnliche Landschaft der Gatower Rieselfelder ist von den Berlinern in den letzten Jahren als Erholungsgebiet entdeckt worden.

98 unten Für die Restaurierung vorgesehene Skulp-turen im Tiergarten. Viele historische Denkmäler und Standbilder sind stark verwittert oder beschädigt.

99 Radarstation auf dem Teufelsberg im Grunewald. Dieser künstliche Berg entstand nach 1945 durch die Aufschüttung von Trümmerschutt.

100 Moderne Kunst in der Neuen Nationalgalerie. Sie vereint die Bestände der Nationalgalerie aus der Stiftung Preußischer Kulturbesitz und die der ehe-maligen Galerie des 20. Jahrhunderts.

101 Die berühmte, 1889 geborene Dadaistin Hannah Höch, die mit ihren Collagen noch bis in die Berliner Gegen-wartskunst hinein wirkt.

102 Der Maler Klaus Fußmann und die Gegenstände seiner Atelier-Welt. Die Dinge erscheinen in Fußmanns Bildern verteilt in den Räumen einer „neuen Landschaft".

103 Der Maler Johannes Grützke und sein Modell. Grützkes Bilder zeigen eine Wirklichkeit, die von gleichmäßig-verzerrten menschlichen Figuren beherrscht wird.

104 Skulpturen in der Bildgießerei Noack in Friedenau. Sie wurde bereits 1897 gegründet und besitzt heute Weltruf.

105 Der englische Bildhauer Henry Moore besichtigt eine seiner bei Noack gegossenen Skulpturen.

106 Friedrich Schröder-Sonnenstern, ein Außenseiter und Sonderling der Berliner Kunstszene. Mit seiner naiv-pathologischen Malweise erregte er internationale Aufmerksamkeit.

107 Die Neue Nationalgalerie, 1968 nach einem Entwurf von Mies van der Rohe fertiggestellt, sammelt be-deutende Gemälde und Skulpturen von der Romantik bis zur Gegenwart.

108 Artistenfamilie eines Wanderzirkus. Die große Zeit des Zirkus ist längst vorbei, doch die Berliner haben noch immer eine Vorliebe für „Menschen-Tiere-Sensationen".

109 Matthias Koeppel, Mitbegründer der Berliner „Schule der Neuen Prächtigkeit". Koeppel malt satirische Ge-sellschaftsszenen vor dem Hintergrund moderner Technik und Zivilisation.

110 Der Bildhauer Heinz Otterson, der mit seinen phan-tastischen Schrott-Plastiken verspielt-heitere Symbole des Maschinenzeitalters schafft.

111 oben Joachim Schmettau, dessen Skulpturen mit ihren figurativen Überspitzungen unmittelbar Mensch-liches zum Ausdruck bringen.

111 unten Harro Jacob, wie Schmettau Lehrer an der Hochschule der Künste und als solcher mitprägend für die Berliner Bildhauerkunst der Gegenwart.

112 Fritz Köthe, ein Vertreter der deutschen Pop-art, dessen Werke sich auch international durchgesetzt haben. Köthes Plakat-Bilder sind optische Ver-dichtungen der modernen Konsum- und Reklamewelt.

113 Eugène Ionesco, neben Beckett berühmter Dramatiker des Absurden. Hier bei der Inszenierung eines seiner Stücke in Berlin.

114–115 Szenen aus dem Shakespeare-Projekt der Schau-bühne am Halleschen Ufer. Die Schauspielertruppe entwickelte sich in wenigen Jahren zum bedeutendsten Theater im deutschsprachigen Raum.

116 oben Probe für „Wozzeck" von Alban Berg in der Deutschen Oper Berlin. Sie zählt heute zu den führenden Opernhäusern der Welt.

116 unten Martin Held, einer der Großen des deutschen Theaters und Berliner Staatsschauspieler. Zu den Staatlichen Schauspielbühnen West-Berlins gehören das Schiller-Theater, das Schloßpark-Theater und die Schiller-Theater-Werkstatt.

117 Auch als Ballettbühne genießt die Deutsche Oper Berlin internationalen Ruf. Zu ihrem Ensemble gehört auch die große Tänzerin Eva Evdokimova.

118–119 In der Garderobe und auf der Bühne: Bilder aus dem „Chez nous", dem bekanntesten Berliner Transvestiten-Kabarett.

120 oben Antiquitätenhändler in der Fasanenstraße. Neben den zahlreichen Antiquitätengeschäften sind in den letzten Jahren immer mehr Trödelläden und Flohmärkte entstanden.

120 unten Das Berlin-Museum in der Lindenstraße im Bezirk Kreuzberg. Es vermittelt einen Einblick in die Stadtentwicklung und Kulturgeschichte Berlins. Das 1735 errichtete Barockgebäude war einst Sitz des Kammergerichts.

121 Die von Hans Scharoun entworfene Philharmonie am Rande des Tiergartens. Hier hat das Berliner Philharmonische Orchester mit seinem Chefdirigenten Herbert von Karajan sein Domizil.

122 Kess und kritisch, schlank und hübsch – gängige Attribute der Berlinerin. Seit den sechziger Jahren ist West-Berlin ein Zentrum der deutschen Frauenbewegung.

123 Die Kneipe um die Ecke. Hier pflegt der Berliner nach Feierabend sein Bier zu zischen, in der Regel mit einem Korn.

124 Fußballspiel Hertha BSC gegen Tennis Borussia. Das Treffen der beiden Berliner Lokalrivalen lockt Zehntausende von Zuschauern ins Olympiastadion.

125 Anhänger von Hertha BSC, dem bekanntesten Berliner Fußballverein. Er wurde im Jahre 1892 auf einem Ausflugsdampfer mit dem Namen „Hertha" gegründet.

126 Havellandschaft in der Großstadt. Die Havel, eine der schönsten märkischen Flüsse, durchfließt von Norden nach Süden die westlichen Berliner Bezirke.

PICTURE COMMENTS

The numbers refer to the pages in the book.

25 Otto von Bismarck, "The Iron Chancellor", who founded the Second German Reich in 1871. The monument, unveiled in 1901, originally stood in front of the Reichstag on the Square of the Republic. It now stands in the Tiergarten near the Grosser Stern traffic roundabout.

26 The Reichstag, built between 1884 and 1894, was the seat of Parliament during the Second Reich (1871–1918) and the Weimar Republic (1918–1933). The gable inscription, "To the German People", was added during the First World War. Today it stands empty as a symbol of divided Germany.

27 Only one ruined wall remains of the old Anhalter railway station on Askanischer Platz in Kreuzberg. This "Gateway to the South" was once the city's busiest and the Berliners' favourite station. During the war it was badly damaged and later demolished.

28 A Turkish butcher's shop in Kreuzberg. Many streets in this district have assumed a destinctive Turkish character. The Turks themselves represent Berlin's largest foreign community.

29 The Kranzler-Eck, one of the most famous locations in West Berlin's city centre. Luxury limousines and bright neon lights heighten the vivid impressions and exciting atmosphere of Berlin by night.

30 Part of the city motorway in Wilmersdorf near Mecklenburgische Strasse and the new heat-generation plant. The chimneys of the three gas-turbines rear up 100 metres high.

31 Aggression and fear. A Brecht quotation daubed on a wall says: You will surely realise, you must defend yourself, if you do not want to be destroyed.

32 Knesebeck Strasse in Charlottenburg, one of the central districts. According to statistics, each child officially has 3.7 square metres of public playground in Berlin.

33 Children peer down from a sky-scraper in the Märkisches Viertel, a huge housing complex in the north of Berlin, where 47,000 people live in a total of 17,000 flats.

34 Prinzenstrasse in Kreuzberg in the early morning. 88,000 dogs wait for their daily walk in West Berlin.

35 A tenement-house and contrasting travel poster in Charlottenburg. There are still eleven public bathing spots on West Berlin's lakes and rivers.

36 An industrial motif in Wedding. In the background is the head-office of the Schering pharmaceutical company on Müllerstrasse. During the latter half of the 19th century many world famous firms were founded in this predominantly working-class area.

37 Turkish factory workers in Kreuzberg. West Berlin's Turkish population totals nearly 85,000. In addition 30,000 Yugoslavs, 8,000 Greeks and 6,000 Italians live in the city.

38 The Funkturm, or radio tower, a landmark the Berliners are especially fond of. This tall thin steel construction with a restaurant and viewing platform is 138 metres high and had its opening ceremony in 1926.

39 The motorway intersection near the Funkturm, where the Avus joins the city motorway. "Avus" is an abbreviation of the German for "Automobile and motor-traffic trial and test course". It was inaugurated in 1921 as Germany's first motor-race course.

40 above: The S-Bahn station at Savignyplatz in Charlottenburg. This elevated city railway, electrified during the twenties, was once Berlin's most important means of public transport. Since the end of the war the entire network in East and West Berlin has been run by the East German railway authority.

40 below: A freight vessel on the river Spree close to the S-Bahn station at Jungfernheide. About a quarter of the goods needed by West Berlin reach the city by water.

41 Gesundbrunnen station in Wedding is just one of the 77 S-Bahn stations in West Berlin. Network-maintenance has been rather neglected by the East German authorities.

42 above: View towards the city centre with the Memorial Church and the Europa Centre. The S-Bahn tracks in the foreground lead into West Berlin's main railway station, the Bahnhof Zoologischer Garten.

42 below: A tenement-house on Chamisso Platz, a square in Kreuzberg. Although this is the smallest district in the city, it is also the most densely populated. Here there are approximately 15,000 inhabitants per square kilometre, compared to just over 4,000 per square kilometre in West Berlin as a whole.

43 The Belvedere summer-house in the grounds of Charlottenburg Castle was designed by Langhans and built in 1788 for Friedrich Wilhelm II. Today it houses an historic collection of china manufactured in various Berlin factories and workshops.

44 About 450,000 of West Berlin's inhabitants are over 65 years old, which is about 22 per cent of the city's population. In the Federal Republic the comparative figure is 12 per cent.

45 above: A fashionable old apartment house with modern advertising on one of its walls. This building in Kantstrasse, Charlottenburg, dates back to the turn of the century.

45 below: Despite a steady decline in population, the volume of refuse increases year by year.

46 A view taken from Wedding over the tracks of the Lehrter railway goods-yard towards Moabit and the city centre.

47 Factory buildings on the bend in the river Spree in Moabit, a highly industrialised section of the city to the north of the Tiergarten. Moabit acquired its name from the Hugenots, who settled here in 1718 and called their new home after the biblical land of the Moabites.

48 A factory on the Teltow Canal in Neukölln. The canal was built by the Teltow local authority between 1901 and 1906. Its harbours and tributary canals offered ideal facilities for new and expanding industrial settlements.

49 Charlottenburg Castle, which dates back originally to 1695, is one of the last remaining examples of baroque architecture in Berlin. It was modified, extended and decorated by almost every monarch who reigned during the 18th century.

50 An undertaker's store-room in Kreuzberg. According to official estimates, West Berlin's population is likely to decrease from its present two million to around 1.7 million by 1990.

51 The inner world of an outer-wall. Approximately 600,000 flats and houses in West Berlin are over 30 years old. This figure accounts for more than half of the city's total available accommodation.

52 Part of Schering's production plant in Wedding. In terms of the size of labour-force, West Berlin is still Germany's largest industrial city.

53 An 80 metre high gasometer looms up in Schöneberg. It was built by the gaswork company in 1907 on Torgauer Strasse.

54 above: Patterns seen in methodically stacked coal-piles at a disused railway station.

54 below: Patterns made by paving stones in the inner courtyard of Charlottenburg Castle.

55 An old pre-war advertisement for a detergent, painted on a wall in Charlottenburg.

56 Factories and storage tanks at the Westhafen docks in Moabit.

57 The Kurfürstendamm and Kaiser Wilhelm Memorial Church at sunrise. Local time in Berlin is exactly six minutes and 22 seconds behind Central European Time.

58 The Russian Orthodox Cathedral on Hohenzollerndamm in Wilmersdorf. Altogether there are 30 different practising religious communities in West Berlin.

59 Landscape near Lübars, a little village in the north of Berlin which has retained its rural character.

60 The U-Bahn station at Görlitzer Bahnhof in Kreuzberg. The name was adopted from the old main line station, which once was the departure point for journeys to the Spreewald and the Riesengebirge.

61 Breitscheidplatz and the Kaiser Wilhelm Memorial Church, built between 1891 and 1895 in neo-Romanesque style, was destroyed during the Second World War. It was reconstructed between 1959 and 1961 to a design by Egon Eiermann, incorporating the ruined church tower.

62 Concrete configurations set in a broad, even expanse of land – the Märkisches Viertel in the evening.

63 An indoor swimming pool in the Märkisches Viertel. The construction of essential social facilities lagged perceptibly behind the initial housing development.

64 A view of one of the huge warehouses in the Westhafen docks. The Westhafen, which started operating in 1923, is Berlin's largest and most important docking installation.

65 A factory in Marienfelde. After the war, numerous industries moved into this area, which belongs to the district of Tempelhof.

66 above: Lake view of the historical town of Spandau, showing the Town Hall and Nicolai Church. The old town, built at the confluence of the rivers Spree and Havel, was awarded civic status as early as 1232.

66 below: A snow-clad field near Lübars. Agriculture no longer plays a role in West Berlin's economy.

67 A view of the residential area around the Lietzensee, an almost idyllic setting in Charlottenburg, one of the city's most central districts.

68 Façade of a fashionable Kurfürstendamm apartment house at the corner of Leibnizstrasse, dating back to the turn of the century.

69 Window display of an elegant men's outfitter on the Kurfürstendamm.

70 A Schering research laboratory. The firm was established in 1871 as a "Chemical Company founded by Shareholding Gentlemen" and achieved international standing within a few decades. Today, Schering is one of the few key companies with its central administration still in Berlin.

71 Looking down into the glass-roofed inner court of the Technical University on the Strasse des 17. Juni. There are about 55,000 students registered at both the Technical and the Free University.

72 The 19th century St. Matthew's Church and the New National Gallery. These two buildings on the southern edge of the Tiergarten constitute the focal point of a new cultural complex, under construction since 1960.

73 Fishermen on the river Havel near Heiligensee. About 25,000 kilos of edible fish are still caught each year in Berlin's waters.

74 A study of objects left standing in a city of change. A new flyover on part of the city motorway.

75 The Swinemünder Bridge in Wedding to the east of Gesundbrunnen station. Because it cost over a million golden Marks to build, the Berliners nicknamed it "The Million Bridge".

76 Tempelhof Airport: for fifty years it was Berlin's main civillian airport. It was from the original Tempelhof Field, that the American Wright brothers took off on their famous motorised flight of 1909.

77 Tegel Airport: since 1975 Berlin's new main airport and one of the most modern in Europe. At the beginning of the thirties, Tegel was a missile testing range, where Wernher von Braun carried out his first experiments.

78 Tourists at Potsdamer Platz taking the customary look over "The Wall". This square, once Berlin's busiest thoroughfare, lies deserted since "The Wall" was built in 1961.

79 On the border between East and West – the famous Brandenburg Gate, a symbol of the divided city. The gate was built between 1788 and 1791 during the reign of Friedrich Wilhelm II.

80 A section of the border at a point dividing the district of Berlin-Mitte in East Berlin from Kreuzberg in the West.

81 Panorama of East Berlin, seen from Wedding, with the television tower, Hotel Stadt Berlin and the redbrick Rotes Rathaus.

82 "Checkpoint Charlie", the Allied border crossing point in the American sector, allowing access to East Berlin near Friedrichstrasse.

83 The Soviet War Memorial in the Tiergarten close to the Brandenburg Gate. The Russians built the monument after the war out of marble from Hitler's Chancellory.

84 A cross in memory of eastern border victims near the Oberbaum Bridge, where the river Spree constitutes the boundary between East and West Berlin.

85 Since August 13th, 1961, more than 80 people have lost their lives attempting to get across the border to West Berlin.

86 A man gazes from East to West. Since 1972, West Berliners are permitted to spend up to thirty days a year in East Berlin and the German Democratic Republic.

87 Soldiers of the National People's Army guard the 47 kilometres of border installations.

88 Looking across from West to East. Trams also used to run in West Berlin up until 1967.

89 A view over the river Havel, through which part of the northern border runs, separating West Berlin from the German Democratic Republic.

90 Fishing at Glienicker Brücke. The East-West border cuts this bridge in half. In 1949 it came to be named the "Bridge of Unity" by the East.

91 Walking in the Tegeler Forst, one of Berlin's most beautiful woods. Almost 157 sq. kilometres of West Berlin's total area, that is 17 per cent, are covered by woods and forest.

92 The "Rieselfelder", an area to the west of the Havel near Gatow. These fields were initially used for general drainage purposes from 1890 onwards. Some of West Berlin's waste water is still drained out here today.

93 A bridge over the Teltow Canal on the border to East Berlin. This canal, which joins the Dahme and the Havel, is 37 kilometres long.

94 An old windmill on Buckower Damm in Britz. The former village of Britz dates back to the 13th century and is very popular with Berliners, especially for springtime outings, when the trees are in blossom.

95 Looking across the Havel towards Peacock Island. The little castle was built as a romantically stylised ruin between 1794 and 1797 by Friedrich Wilhelm II.

96 Fishermen at Tegeler See. The lake's beautiful wooded setting and numerous islands make it one of the most popular places for outings and general recreation.

97 above: A Sunday picnic in the Volkspark at Kleinglienicke. Although now a public park, it once belonged to the palace of Prince Carl of Prussia, for whom Lenné created the landscape design.

97 below: Sands at Wannsee, Berlin's largest and most attractive public bathing area. The beach is one kilometre long and is visited by many thousands during the summer.

98 above: The heath-like character of the "Rieselfelder" near Gatow has become increasingly popular among Berliner's in recent years.

98 below: Statues cordoned off for restoration in the Tiergarten. Many statues and monuments are badly weathered or damaged.

99 The radar station on the Teufelsberg in Grunewald forest. This "man-made mountain" consists entirely of rubble from the last world war.

100 Modern art in the New National Gallery, where the collections are combined from the former National Gallery, belonging to the Prussian Cultural Heritage Foundation, and the Gallery of the 20th Century.

101 The famous early Dada artist, Hannah Höch, who was born in 1889. Her collage-work still has a great influence on contemporary Berlin artists.

102 The painter, Klaus Fussmann, surrounded by his studio-world objects. They usually reappear later as part of Fussmann's "new landscape" compositions.

103 The painter, Johannes Grützke, with his model. Grützke's works depict a reality dominated by evenly distorted human figures.

104 Bronzes cast in Noack's foundry in Friedenau. Established in 1897, it is now a world famous firm.

105 The English sculptor, Henry Moore, inspects one of his figures cast at Noack's.

106 Friedrich Schröder-Sonnenstern, an eccentric of the Berlin cultural scene. His naïve-pathological style in painting has attracted international attention.

107 The New National Gallery, completed in 1968 to the plans of Mies van der Rohe, collects paintings and sculptures from the Romantic era to the present day.

108 A family of travelling circus artists. The days of the Big Top are almost over but the Berliners still love to roll up to see "People, Animals, and Sensations".

109 Mattias Koeppel, a co-founder of the Berlin "School of New Magnificence". He paints social-satirical works on themes in the context of modern technology and civilisation.

110 With his wittily intricate scrap-metal objects, Heinz Otterson creates fantastic symbols of a mechanised age.

111 above: Joachim Schmettau, whose exaggeratedly stylised sculptures capture the essence of individual human existence.

111 below: Harro Jacob, like Schmettau, teaches at the School of Art and consequently has an important influence on contemporary sculpture in Berlin.

112 Fritz Köthe, a representative of the German Pop Art movement, whose works are internationally recognized. Köthe's "poster-pictures" are cutting visual statements on modern consumer-orientated society and its aggressive advertising.

113 Eugène Ionesco, like Beckett, one of the famous dramatists of the Absurd. The scene shown is taken from one of Ionesco's productions in Berlin.

114–115 Scenes from the project "Shakespeare's Memory" produced by the Schaubühne am Halleschen Ufer. Within just a few years the ensemble acquired its reputation as the most important company in the German speaking area.

116 above: Rehearsal for Alban Berg's opera "Wozzeck" at the Deutsche Oper, today one of the world's leading opera houses.

116 below: Martin Held, a famous German actor and star of Berlin's state-owned theatre. Stages belonging to West Berlin's State Theatre include the Schiller Theatre, Schlosspark Theatre and the Schiller Theatre Workshop.

117 The Deutsche Oper ballet productions also enjoy a high international reputation. The great ballerina, Eva Evdokimova is one of this ensemble's stars.

118–119 In the dressing-room and on stage – studies made in the "Chez nous", Berlin's most famous transvestite cabaret club.

120 above: Antique dealer in Fasanenstrasse. Alongside the many antique shops, more and more bric-à-brac merchants and flea-markets have sprung up over the last few years.

120 below: The Berlin-Museum on Lindenstrasse in Kreuzberg offers an insight into the city's historical development. This baroque building of 1735 was once the seat of the Berlin Supreme Court.

121 On the edge of the Tiergarten, the Philharmonie, designed by Hans Scharoun. It is the home of the Berlin Philharmonic Orchestra under its leading conductor, Herbert von Karajan.

122 Imaginative and critical, slim and pretty – just a few common attributes of Berlin's female inhabitants. Since the sixties West Berlin has become one of the major centres of the German Women's Liberation Movement.

123 An evening down at the local. Berliners enjoy their customary pint usually accompanied by a „Korn", the most popular schnaps.

124 A football match between Hertha BSC and Tennis Borussia. This local Derby always attracts tens of thousands into the Olympic Stadium.

125 Supporters of Hertha BSC, Berlin's best-known Soccer club. It was founded in 1892 aboard the pleasure steamer "Hertha".

126 A rural river setting in the midst of a metropolis. The Havel is one of the most picturesque rivers in the Mark of Brandenburg and flows from North to South through the western districts of Berlin.

COMMENTAIRES SUR LES PHOTOGRAPHIES

Les numéros se refèrent aux pages correspondantes

25 Otto von Bismarck, fondateur et chancelier du Reich de 1871. Le monument, dans le Tiergarten, érigé en 1901, se trouvait autrefois devant le Reichstag.

26 Le Reichstag, édifié dans les années 1884–1894, siège du Parlement sous l'Empire et la République de Weimar. C'est au cours de la première guerre mondiale qu'a été apposée l'épigraphe «Dem Deutschen Volke» (Au peuple allemand). Aujourd'hui, l'édifice, vide, est un symbole de l'Allemagne divisée.

27 Ruine de l'Anhalter Bahnhof sur l'Askanischer Platz à Kreuzberg. L'«Anhalter», autrefois porte de Berlin en direction du Sud, était la gare la plus animée et la plus affectionnée de la capitale du Reich. Fortement endommagée lors de la dernière guerre, elle fut plus tard totalement démolie.

28 Devanture d'une boucherie turque à Kreuzberg. Dans ce quartier, des rues entières rappellent la Turquie. Les Turcs représentent le groupe ethnique étranger le plus important de la population de Berlin-Ouest.

29 Le café Kranzler, l'un des endroits les plus connus du centre-ville de Berlin-Ouest. Ici, les éclairages au néon, les voitures de luxe suggèrent la vie trépidante et les plaisirs qui sont l'apanage des villes internationales.

30 Une partie de l'autoroute Stadtautobahn dans le district de Wilmersdorf. A l'arrière plan, la nouvelle centrale thermique avec les cheminées, hautes de cent mètres, de ses trois turbines à gaz.

31 Agressivité et peur. Sur le mur, une citation de Brecht: «Qu'il te faille te défendre si tu ne veux aller à la ruine, il te faudra bien le reconnaître.»

32 Dans une rue du centre-ville, la Knesebeckstrasse à Charlottenburg. A Berlin, on compte par enfant 3,7 mètres carrés de terrains de jeux publics.

33 Deux enfants dans un immeuble de la ville-satellite «Märkisches Viertel» au Nord de Berlin. Ici plus de 47 000 personnes vivent dans quelques 17 000 logements.

34 Une rue de Kreuzberg le matin de bonne heure. A Berlin-Ouest, jour pour jour, 88 000 chiens doivent sortir pour la promenade.

35 Une affiche publicitaire sur la façade d'une vieille maison à Charlottenburg. A Berlin-Ouest onze lacs ou fleuves sont aménagés pour la baignade.

36 Motif industriel à Wedding. A l'arrière plan, l'entreprise Schering dans la Müllerstrasse. Wedding, quartier ouvrier, est devenu dans la seconde moitié du 19ème siècle le siège de nombreuses entreprises de portée mondiale.

37 Travailleurs turcs dans une usine de Kreuzberg. Environ 85 000 Turcs, y compris femmes et enfants, vivent à Berlin-Ouest. A cela s'ajoutent environ 30 000 Yougoslaves, 8 000 Grecs et 6 000 Italiens.

38 Le Funkturm, pylône de T.S.F, symbole de la ville et «enfant chéri» des Berlinois. Cette tour métallique à la silhouette élancée, de 138 mètres de haut, avec son restaurant et sa plate-forme panoramique, fut inaugurée en 1926.

39 Le triangle routier au Funkturm: raccordement de deux autoroutes, l'Avus et la Stadtautobahn. L'«Avus», inaugurée en 1921, fut le premier circuit de course automobile d'Allemagne.

40 en haut A Charlottenburg, la station Savignyplatz de la «Stadteisenbahn» ou «S-Bahn», chemin de fer métropolitain, électrifié dans les années vingt. Autrefois moyen de communication principal de Berlin, la S-Bahn est depuis la fin de la guerre sous la tutelle de la Reichsbahn, chemins de fer de la RDA.

40 en bas Cargo sur la Spree, non loin de la station S-Bahnhof Jungfernheide. Un quart des biens nécessaires à Berlin, arrive par voie fluviale.

41 Gesundbrunnen dans le district de Wedding, l'une des 77 stations de la S-Bahn à Berlin-Ouest. L'entretien du réseau, relevant de Berlin-Est, est fort négligé.

42 en haut Vue sur la «city» de Berlin-Ouest avec la Gedächtniskirche et l'Europa-Center. Au premier plan, les voies de la S-Bahn à l'avant du Bahnhof Zoo, gare centrale de Berlin-Ouest.

42 en bas Vieille habitation à Kreuzberg, Chamissoplatz. Ce district de Berlin, le moins étendu géographiquement, est le plus populeux. Il abrite 15 000 habitants au kilomètre carré. La densité moyenne de Berlin-Ouest dépasse à peine les 4 000 au kilomètre carré.

43 Belvédère dans le parc du château de Charlottenburg, édifié en 1788 pour Frédéric Guillaume II d'après les plans de Langhans. Il renferme aujourd'hui un musée de porcelaine venant des manufactures berlinoises.

44 A Berlin-Ouest 450 000 personnes sont âgées de 65 ans et plus, soit 22% de la population totale. Dans la République fédérale allemande, le pourcentage des personnes âgées est de 12%.

45 en haut Immeuble ancien construit vers les années 1900, dans la Kantstrasse à Charlottenburg; sur la façade, publicité moderne.

45 en bas Malgré le recul démographique, les ordures ménagères ne cessent de croître.

46 Vue de Wedding sur les voies de chemin de fer de la gare de marchandises Lehrter, en direction de Moabit et du centre-ville.

47 Usine sur la Spree à Moabit. Ce district industriel au Nord de Tiergarten doit son nom aux huguenots qui, arrivés en 1718, baptisèrent leur nouvelle patrie du nom du pays de Moab.

48 Usine sur les bords du Teltow-Kanal à Neukölln. Le canal, construit par l'arrondissement de Teltow en 1901–1906, avec ses ports et ses ramifications se prêtait particulièrement à l'implantation d'industries.

49 Le château de Charlottenburg, l'un des rares édifices baroques de Berlin ayant pu être sauvés. Presque tous les rois de Prusse du 18ème siècle ont oeuvré au cours de leur règne à son agrandissement et à sa décoration.

50 Dépôt de cercueils dans le district de Kreuzberg. D'après les prévisions officielles, la population de Berlin-Ouest reculera d'ici à 1990 de ses quelques 2 millions actuels à environ 1,7 millions.

51 Vie intérieure d'un mur extérieur. A Berlin-Ouest, plus de 600 000 logements ont plus de 30 ans. C'est plus de la moitié du chiffre global.

52 Lieux de production de l'entreprise Schering dans le district de Wedding. Sur le plan des effectifs, Berlin est toujours la plus grande ville industrielle d'Allemagne.

53 Le gazomètre de Schöneberg, visible de très loin avec ses 80 mètres de haut, fut érigé en 1907 pour l'usine à gaz située dans la Torgauer Strasse.

54 en haut Structures. Entrepôt de charbon sur le terrain d'une gare désaffectée.

54 en bas Structures. Le pavé de la cour intérieure du château de Charlottenburg.

55 Sur une maison de Charlottenburg, réclame de lessive datant d'avant la guerre.

56 Usines et silos à proximité du port Westhafen à Moabit.

57 Le Kurfürstendamm et la Gedächtniskirche au lever du soleil. L'heure locale de Berlin retarde de 6 mn. 22 s. sur l'heure de l'Europe centrale.

58 Cathédrale russe-orthodoxe sur le Hohenzollerndamm à Wilmersdorf. Berlin-Ouest compte plus de 30 communautés religieuses différentes.

59 Paysage de Lübars au Nord de Berlin, village ayant conservé son originalité paysanne.

60 La station de métro Görlitzer Bahnhof à Kreuzberg, du nom de l'ancienne gare de chemin de fer à grande distance, point de départ en direction du Spreewald et du Riesengebirge, autrefois lieux d'excursion chers aux Berlinois.

61 Breitscheidplatz, la place sur laquelle est érigée la Kaiser-Wilhelm-Gedächtniskirche. L'église de style néo-roman, bâtie en 1891–1895, fut détruite au cours de la seconde guerre mondiale. Auprès de la ruine de l'ancienne église, l'église moderne fut construite en 1959–1961, d'après les plans d'Egon Eiermann.

62 Blocs de béton sur paysage plat. Le Märkisches Viertel à la tombée de la nuit.

63 Piscine couverte dans le Märkisches Viertel. Ici, la construction d'équipements collectifs resta longtemps en retard sur la construction de logements.

64 Vue sur un grand entrepôt de Westhafen, le port le plus vaste et le plus important de Berlin, datant de 1923.

65 Usine à Marienfelde. Ce quartier faisant partie du district de Tempelhof, a accueilli après la guerre de nombreuses entreprises industrielles.

66 en haut Vue sur la «vieille ville» de Spandau avec son Hôtel de Ville et la Nikolaikirche. Cet endroit, ayant pris naissance à l'embouchure de la Spree dans la Havel, reçut dès 1232 le statut de ville.

66 en bas Champ recouvert de neige à Lübars. L'agriculture berlinoise, sur le plan économique et professionnel, est devenue insignifiante.

67 Vue sur le Lietzensee dans le district de Charlottenburg quartier résidentiel urbain dans un site idyllique.

68 Façade d'un bel immeuble construit vers les années 1900 sur le Kurfürstendamm, à l'angle de la Leibnitz-strasse.

69 Vitrine d'un élégant magasin pour hommes sur le Kurfürstendamm.

70 Laboratoire de recherche de Schering. L'entreprise, fondée en 1871 sous forme de société par actions, a avancé en quelques décennies au rang d'entreprise de portée mondiale. Aujourd'hui, la Schering AG est l'une des rares entreprises de cette importance dont le siège principal se trouve encore à Berlin.

71 Vue sur la cour intérieure de la Technische Universität dans la Strasse des 17. Juni. 55 000 étudiants sont immatriculés dans les deux universités de Berlin-Ouest, la Technische Universität et la Freie Universität.

72 La Matthäus-Kirche, église datant du 19ème siècle et la Neue Nationalgalerie: ces deux édifices constituent le noyau du centre culturel qui se développe depuis 1960 le long de la partie Sud du Tiergarten.

73 Pêcheurs de la Havel sur le Heiligensee. Dans les eaux berlinoises, on pêche encore environ 25 000 kilogrammes de poisson de table par an.

74 Vestiges oubliés dans un paysage urbain mouvant. Vue sur un pont sur la Stadtautobahn.

75 La Swinemünder Brücke dans le district de Wedding, à l'Est de la station Bahnhof Gesundbrunnen. Les coûts de construction du pont dépassèrent le million de marks-or, d'où son surnom populaire «Millionenbrücke» (le pont des millions).

76 L'aéroport de Tempelhof: connu dans le monde entier, il fut pendant cinquante ans le principal aéroport berlinois pour l'aviation civile. C'est ici, sur le Tempelhofer Feld, que les frères Wright exécutèrent leur spectaculaire vol à moteur.

77 L'aéroport de Tegel: nouvel aéroport central de Berlin-Ouest depuis 1975, l'un des plus modernes aéroports d'Europe. Au début des années 30, Tegel a fait fonction de terrain d'essai pour les fusées. C'est la que le jeune Wernher von Braun effectua ses premières expériences.

78 Inévitable coup d'oeil sur le mur de Berlin. Le Potsdamer Platz, jadis la place de Berlin la plus animée, est depuis la construction du mur en 1961 dans un état de désolation totale.

79 A la frontière entre l'Est et l'Ouest: Brandenburger Tor, symbole de la ville divisée. L'édifice fut construit sous le règne de Frédéric Guillaume II dans les années 1788–1791.

80 Vue sur une partie de la zone interdite à l'Est: ici, entre les districts Berlin-Mitte et Kreuzberg.

81 Silhouette de Berlin-Est vu de Wedding, avec son Fernsehturm (pylône de TSF), son grand hôtel Stadt Berlin, sa cathédrale et son Hôtel de Ville.

82 «Checkpoint Charlie», point de contrôle depuis la construction du mur au point de passage vers Berlin-Est, Friedrichstrasse.

83 Monument à la mémoire des soldats soviétiques dans le Tiergarten près du Brandenburger Tor. Les Soviétiques ont construit ce monument après la guerre avec le marbre de la Chancellerie du Reich de Adolf Hitler.

84 Croix à la mémoire des victimes du mur non loin de la Oberbaumbrücke. La Spree forme ici la frontière entre Berlin-Est et Berlin-Ouest.

85 Depuis le 13 août 1961, plus de 80 personnes ayant tenté de franchir la frontière vers Berlin-Ouest ont trouvé la mort.

86 De l'Est à l'Ouest. Depuis 1972, les Berlinois de l'Ouest peuvent séjourner jusqu'à 30 jours par an à Berlin-Est ou dans la RDA.

87 Le mur – long de 47 kilomètres – sous la garde des soldats de la «Nationale Volksarmee».

88 Une rue de Berlin-Est vue de l'Ouest. Jusqu'en 1967, les tramways circulaient également à Berlin-Ouest.

89 Vue sur la Havel, fleuve-frontière au Nord de la ville entre Berlin-Ouest et la RDA.

90 Pêcheur sur la Glienicker Brücke. La frontière vers la RDA passe juste au milieu du pont. En 1949, les autorités de l'Est lui donnèrent le nom de «Brücke der Einheit» (pont de l'unité).

91 Promeneurs dans l'une des plus belles forêts berlinoises, le Tegeler Forst. Les forêts représentent 17 pour cent de la superficie berlinoise soit 157 kilomètres carrés.

92 Champs d'épandage de Gatow à l'ouest de la Havel. Ces champs d'épandage, datant de 1890 environ, servent encore aujourd'hui à l'épuration des eaux usées.

93 Pont sur le Teltow-Kanal à la frontière de Berlin-Est. Le canal, d'une longueur de 37 km, relie les deux rivières, la Dahme et la Havel.

94 Vieux moulin sur le Buckower Damm à Britz. La floraison des arbres à Britz, vieux village du 13ème siècle attire au printemps des milliers de Berlinois.

95 Vue sur la Pfaueninsel, l'île aux paons, sur la Havel. Le petit château de style romantique fut construit en 1794–1797 par Frédéric-Guillaume II.

96 Pêcheurs au Tegeler See. Avec ses rives boisées et ses îles multiples, ce lac est un lieu d'excursion et de repos affectionné des Berlinois.

97 en haut Pique-nique du dimanche dans le Volkspark Kleinglienicke, ancien parc du château du prince Charles de Prusse, conçu et aménagé par l'architecte Lenné.

97 en bas Wannsee et sa plage, la plus grande et la plus belle de tout Berlin. Avec son sable fin sur un kilomètre de long, la plage attire souvent en été des dizaines de milliers de Berlinois.

98 en haut Paysage de lande, les champs d'épandage de Gatow. Les Berlinois ont fait au cours des dernières années la découverte de ce nouveau lieu de repos.

98 en bas Dans le Tiergarten, sculptures dont on prévoit la restauration prochaine. De nombreux monuments et statues ont souffert de l'usure du temps ou sont fort abîmés.

99 Station radar sur le Teufelsberg dans la forêt de Grunewald. Cette colline artificielle, commencée en 1945, est le produit de l'entassement des décombres de la guerre.

100 Art moderne dans la Neue Nationalgalerie. Ce musée rassemble les oeuvres de la Nationalgalerie sous l'égide de la fondation Stiftung Preußischer Kulturbesitz et celles de l'ancienne Galerie des 20. Jahrhunderts.

101 Hannah Höch, célèbre dadaiste, née en 1889, dont l'influence – par ses collages – se fait encore sentir de nos jours dans l'art berlinois.

102 Le peintre Klaus Fußmann et les objets de son atelier-univers. Sur les peintures de Fussmann, les objets apparaissent, dispersés, dans les espaces d'une «neue Landschaft» (nouveau paysage).

103 Le peintre Johannes Grützke et son modèle. Dans les tableaux de Grützke, la réalité se présente sous une perspective conférant aux figures humaines des déformations, des disproportions que l'on retrouve tout au long de son oeuvre.

104 Sculptures dans la fonderie d'art Noack à Friedenau. Fondée en 1897, elle a aujourd'hui une réputation de portée mondiale.

105 Le sculpteur anglais Henry Moore vient observer l'une de ses sculptures moulées dans la fonderie d'art Noack.

106 Friedrich Schröder-Sonnenstern, étrange personnage en marge de la scène artistique berlinoise. Son art naif, quasi-pathologique, lui a valu une notoriété internationale.

107 La Neue Nationalgalerie, construite en 1968 par l'architecte Mies van der Rohe, renferme des peintures et sculptures réputées, du romantisme à nos jours.

108 Famille d'artistes dans un cirque ambulant. L'âge d'or du cirque a beau être passé, les Berlinois ont toujours un penchant pour ce qu'ils appellent «Menschen – Tiere – Sensationen» (hommes, animaux, sensations).

109 Matthias Koeppel, co-fondateur de la «Schule der Neuen Prächtigkeit» (école berlinoise de la «nouvelle magnificence»). Koeppel peint des scènes satiriques de la vie sociale sur l'arrière plan de la technique et de la civilisation moderne.

110 Le sculpteur Heinz Otterson: ses objets – ferrailles fantastiques – sont le symbole bouffon de l'âge de la machine.

111 en haut Joachim Schmettau: ses sculptures avec leurs outrances figuratives sont l'expression directe de l'humain.

111 en bas Harro Jacob: tout comme Schmettau, professeur à la Hochschule der Künste, école des beaux-arts, il a influencé à ce titre l'art sculptural berlinois de notre époque.

112 Fritz Köthe, l'un des représentants du pop'art allemand. Ses peintures-affiches, poèmes optiques du monde moderne de la consommation et de la publicité, sont connues dans le monde entier.

113 Eugène Ionesco, comme Beckett, auteur dramatique de l'absurde. Ici, lors de la mise en scène de l'une de ses oeuvres à Berlin.

114–115 Scènes d'une oeuvre de Shakespeare à la Schaubühne am Halleschen Ufer. Cette troupe est devenue en l'espace de quelques années l'un des théâtres les plus importants des pays de langue allemande.

116 en haut Répétition de «Wozzeck» d'Alban Berg dans la Deutsche Oper Berlin, l'un des opéras les plus renommés du monde.

116 en bas Martin Held, l'un des grands noms du théâtre allemand. Trois théâtres sont sous la tutelle de la ville de Berlin: le Schiller-Theater, le Schlossparktheater et la Schiller-Theater-Werkstatt.

117 L'opéra de Berlin jouit églament d'une notoriété internationale pour ses ballets. La grande danseuse Eva Evdokimova, entre autres, fait partie de la troupe de la Deutsche Oper Berlin.

118–119 Dans une loge et sur la scène: images de «Chez nous», le cabaret de travestis le plus connu de Berlin.

120 en haut Antiquaire dans la Fasanenstrasse. Outre les nombreux magasins d'antiquités, les boutiques de brocante et les marchés aux puces se sont multipliés au cours des dernières années.

120 en bas Le Berlin-Museum dans la Lindenstrasse, district de Kreuzberg. Ce musée donne une vue générale du développement de Berlin et de son histoire culturelle. Bâtiment baroque, construit en 1735, il abritait autrefois le Kammergericht, cour suprême de Berlin.

121 A l'orée du Tiergarten, la Philharmonie conçue par Hans Scharoun, résidence du Berliner Philharmonisches Orchester avec son chef d'orchestre Herbert von Karajan.

122 Elle est jolie, svelte, elle a du chien et l'esprit critique Autant d'attributs de la Berlinoise. Depuis les années 60, Berlin-Ouest est l'un des foyers de l'émancipation féminine.

123 «Die Kneipe», le bistro du coin. C'est là que le Berlinois vient prendre sa bière, en général avec un schnaps.

124 Match de football: Hertha BSC contre Tennis Borussia. L'affrontement des deux grands rivaux berlinois attire des dizaines de milliers de spectateurs dans l'Olympiastadion.

125 Supporter de Hertha BSC, l'équipe de football berlinoise la plus connue. Elle fut fondée en 1892 lors d'une sortie sur le vapeur portant le nom de «Hertha».

126 Paysage de la Havel, l'un des aspects de la grande ville. La Havel, l'un des plus beaux fleuves de la Mark Brandenburg, traverse du Nord au Sud les districts ouest de Berlin.

COMENTARIOS SOBRE LAS FOTOGRAFIAS

Los números se refieren a las páginas correspondientes.

25 Otto von Bismarck, el "Canciller de Hierro", fundador del Imperio Alemán de 1871. El monumento en la Gran Glorieta del Tiergarten, erigido en 1901, estaba ubicado anteriormente ante el Reichstag en la Plaza de la República.

26 El Reichstag, construido en 1884–1894, sede del Parlamento en el Segundo Imperio y en la República de Weimar. La inscripción en el frontispicio "Al pueblo alemán" fue colocada durante la Primera Guerra Mundial. Desocupado hoy día, es símbolo de la escisión alemana.

27 Ruinas de la Anhalter Bahnhof, estación ferroviaria sita en la Askanische Platz de Kreuzberg que servía en otros tiempos a Berlín de punto de partida hacia el sur. Popular como ninguna otra en la capital del Reich, la "Anhalter" era la estación más concurrida. En la última guerra sufrió grandes desperfectos y fue derribada posteriormente.

28 Escaparate de una carnicería turca en Kreuzberg. En este barrio hay calles enteras de aspecto turco. Los turcos constituyen el grupo de población extranjera más numeroso en Berlín Oeste.

29 El Kranzler-Eck, uno de los puntos más conocidos del centro de Berlín Oeste. Efluvios de luz y lujosos automóviles producen aquí la impresión de ciudad palpitante y de cosmopolita diversión.

30 Vista parcial de la autopista urbana en el barrio de Wilmersdorf. Al fondo, la central de calefacción en la Mecklenburgische Strasse con las chimeneas (cien metros de altura) de las tres turbinas de gas.

31 Agresión y miedo. Cita de Brecht en la pared: "Que tienes que defenderte, si no quieres perecer, forzoso es que lo comprendas".

32 En la Knesebeckstrasse en el céntrico barrio de Charlottenburg. Estadísticamente hablando, cada niño berlinés dispone de 3,7 metros cuadrados en lugares de recreo y juegos infantiles.

33 Niños en un rascacielos de la ciudad satélite "Märkisches Viertel" en el norte de la ciudad. Aquí viven más de 47.000 personas en unas 17.000 viviendas.

34 En el Prinzentrasse de Kreuzberg a primera hora de la mañana. 88.000 perros son sacados diariamente en Berlín Oeste al obligado paseo.

35 Casa de vecindad con cartel publicitario en Charlottenburg. En Berlín Oeste hay todavía once playas de baño a orillas de ríos o lagos.

36 Motivo industrial de Wedding; al fondo, la empresa Schering en la Müllerstrasse. El barrio obrero de Wedding se fue convirtiendo a lo largo de la segunda mitad del siglo XIX en sede de numerosas empresas de renombre mundial.

37 Obreros turcos en una fábrica de Kreuzberg. En total viven en Berlín Oeste unos 85.000 turcos, inclusive mujeres y menores de edad. Como segundo grupo de población extranjera más numeroso figuran a continuación unos 30.000 yugoslavos, seguidos de 8.000 griegos y 6.000 italianos.

38 La Funkturm, distintivo de la ciudad y "niño mimado" de los berlineses. Esta torre emisora de radio (138 metros de altura), esbelta construcción de hierro en celosía con restaurante y mirador, fue inaugurada solemnemente en 1926.

39 Cruce de autopistas a los pies de la Funkturm: enlace de la Avus con la autopista urbana. La Avus, abreviatura del nombre que especifica su destino, fue inaugurada en 1921 como el primer autódromo de Alemania.

40 arriba La estación del ferrocarril urbano Savignyplatz en Charlottenburg. El S-Bahn, electrificado en los años veinte, era antes el medio de transporte público más importante de Berlín. Desde la terminación de la guerra es administrado en todo Berlín por los ferrocarriles de la RDA, que mantienen el nombre de Deutsche Reichsbahn.

40 abajo Barco de carga en el Spree cerca de la estación del ferrocarril urbano Jungfernheide. Una cuarta parte, aproximadamente, de las mercancías que necesita Berlín llegan por vía fluvial.

41 Estación Gesundbrunnen en el barrio de Wedding, una de las 77 estaciones del S-Bahn en Berlín Oeste. De la conservación de la red se cuida muy poco Berlín Este.

42 arriba Vista del centro de Berlín Oeste con la Gedächtniskirche y el Europa-Center. En primer plano, las vías del S-Bahn ante la estación Zoologischer Garten.

42 abajo Casa de vecindad en la Chamissoplatz, barrio de Kreuzberg, el más pequeño y el más densamente poblado de Berlín: unos 15.000 habitantes por kilómetro cuadrado. En todo Berlín Oeste, el promedio es solo poco más de 4.000.

43 El Belvedere en el parque del palacio de Charlottenburg, construido en 1788 por Federico Guillermo II como casa de té según planes de Langhans. Hoy día alberga una colección de porcelana histórica de las manufacturas berlinesas.

44 En Berlín Oeste viven unas 450.000 personas en edad de 65 o más años, cifra que representa el 22 por ciento de la población total. En la República Federal de Alemania, ese grupo de edad avanzada equivale al 12 por ciento.

45 arriba Casa residencial de finales de siglo con moderna publicidad en la céntrica Kantstrasse de Charlottenburg.

45 abajo Pese al constante descenso del número de habitantes, aumenta de año en año la cantidad de basuras.

46 Vista desde Wedding sobre las vías férreas de la estación de mercancías Lehrter en dirección al barrio de Moabit y el centro de la ciudad.

47 Edificio fabril en la curva que describe el Spree en Moabit. Esta zona eminentemente industrial al norte del Tiergarten recibió su nombre de los hugonotes afincados aquí en 1718, quienes denominaron a su nueva patria conforme al país bíblico de los moabitas.

48 Fábrica a las márgenes del canal de Teltow en Neukölln. El canal, construido en 1901–1906 por el distrito de Teltow, era particularmente adecuado, con sus puertos y canales secundarios, para el establecimiento de industrias.

49 El Palacio de Charlottenburg, uno de los pocos testimonios del arte arquitectónico barroco conservados en Berlín. Casi todos los reyes prusianos del siglo XVIII ampliaron y realzaron durante su gobierno la construcción iniciada en el año 1695.

50 Un depósito de ataúdes en Kreuzberg. La población de Berlín Oeste, según cálculos oficiales, irá descendiendo hasta el año 1990 de 2 millones escasos en la actualidad a 1,7 millones aproximadamente.

51 Mundo interior de una pared exterior. En Berlín Oeste hay unas 600.000 viviendas que tienen más de 30 años, cifra que representa más de la mitad del volumen total.

52 Plantas de producción de la empresa Schering en el barrio de Wedding. Por el número de ocupados, Berlín continúa siendo la mayor ciudad industrial de Alemania.

53 La caldera de Schöneberg, construida en 1907 para la fábrica de gas de este barrio, fácilmente divisable a lo lejos con sus 80 metros de altura.

54 arriba Estructuras. Almacén de carbón en el recinto de una estación fuera de servicio.

54 abajo Estructuras. Pavimento en el patio del Palacio de Charlottenburg.

55 Publicidad de detergentes de la época anterior a la guerra en una casa de Charlottenburg.

56 Fábricas y silos en las inmediaciones del puerto en Moabit.

57 Kurfürstendamm y Gedächtniskirche a la salida del sol. La hora local berlinesa dista 6 min. 22 seg. de la hora centro-europea.

58 Catedral ruso-ortodoxa en la Hohenzollerndamm de Wilmersdorf. En Berlín Oeste hay, en total, más de 30 confesiones religiosas.

59 Paisaje de Lübars, una aldea en el norte de Berlín que mantiene su carácter rural.

60 La estación del metro Görlitz en Kreuzberg. El nombre recuerda a la estación ferroviaria ubicada aquí en otros tiempos y que era el punto de partida hacia la zona boscosa Spreewald y la región montañosa Riesengebirge.

61 La Breitscheidplatz con la Iglesia en Memoria del Emperador Guillermo. La iglesia, construida en los años 1891–1895 en estilo neorománico, fue destruida en la Segunda Guerra Mundial. La nueva construcción, con inclusión de la torre salvada de las ruinas, data de 1951–1961 y es obra de Egon Eiermann.

62 Montañas de hormigón en la llanura. El Märkisches Viertel a la caída de la tarde.

63 Piscina cubierta en el Märkisches Viertel. La construcción de instalaciones municipales quedó aquí largo tiempo retrasada con respecto a la construcción de viviendas.

64 Vista de uno de los grandes silos del Westhafen. Entró en servicio el año 1923 y es la mayor y más importante instalación portuaria de Berlín.

65 Fábrica en Marienfelde. En esta zona perteneciente al distrito de Tempelhof se asentaron después de la guerra muchas empresas industriales nuevas.

66 arriba Vista de la ciudad antigua de Spandau. La localidad, erigida en la desembocadura del Spree en el Havel, recibió ya en el año 1232 fueros ciudadanos.

66 abajo Campo nevado en Lübars. La agricultura como fuente económica perdió toda su importancia en Berlín.

67 Vista del Lietzensee en el barrio de Charlottenburg, una zona residencial en un idílico rincón del centro de la ciudad.

68 Fachada de una casa representativa en la Kurfürstendamm, esquina Leibnitzstrasse, construida a finales de siglo.

69 Escaparate de una elegante tienda de moda masculina en la Kurfürstendamm.

70 Laboratorio de investigación de Schering. La compañía, fundada en 1871 como "Fábrica Química por Acciones", alcanzó en pocos decenios prestigio internacional. Hoy día, Schering AG es la única empresa de importancia que tiene aún en Berlín su administración central.

71 Vista del patio interior de la Universidad Técnica en la Calle del 17 de Junio. En las dos universidades de Berlín Oeste, la Técnica y la Universidad Libre, están matriculados unos 55.000 estudiantes.

72 La Iglesia de San Mateo, del siglo XIX, con la Nueva Galería Nacional. Ambos edificios forman el núcleo de un centro cultural que se ha ido desarrollando desde 1960 en el extremo sur del Tiergarten.

73 Pescadores del Havel en las riberas del Heiligensee. En las aguas de Berlín Oeste se captura todavía anualmente 25.000 kilos de pescado.

74 Elemento estático en el paisaje urbano transformado. Vista de un puente de la autopista urbana.

75 El puente de Swinemünd en el distrito de Wedding, al este de la estación Gesundbrunnen. El coste de construcción ascendió a más de un millón de marcos oro, de ahí que la vox populi lo apodase "puente millonario".

76 Aeropuerto de Tempelhof, mundialmente conocido a lo largo de sus cincuenta años al servicio de la aviación civil. Aquí, en el campo de Tempelhof, los hermanos norteamericanos Wright emprendieron en 1909 su sensacional vuelo a motor.

77 Aeropuerto de Tegel: desde 1975 el nuevo aeropuerto central de Berlín Oeste y uno de los más modernos de Europa. A comienzos de los años treinta, Tegel fue polígono de pruebas para los investigadores de cohetes. Aquí emprendió el joven Wernher von Braun sus primeros ensayos.

78 Turistas en la Potsdamer Platz cumpliendo un punto obligado de su programa: la mirada por encima del muro. La plaza de Berlín con la mayor densidad de tráfico en otros tiempos quedó desierta desde la construcción del muro en 1961.

79 En la frontera entre el Este y el Oeste: la Puerta de Brandeburgo, símbolo de la escindida ciudad, erigida bajo Federico Guillermo II en los años 1788–1791.

80 Aspecto parcial del hermético cierre aplicado por el Este en la línea de demarcación, aquí entre los distritos Berlin-Mitte y Kreuzberg.

81 La silueta de Berlín Este vista desde Wedding, con la torre de la televisión, el hotel Ciudad Berlín, la catedral y el Ayuntamiento Rojo.

82 El "Checkpoint Charlie", punto de control norteamericano, desde la construcción del muro, en el acceso a Berlín Este por la Friedrichstrasse.

83 Monumento soviético en el Tiergarten cerca de la Puerta de Brandeburgo. Los rusos erigieron el monumento a la terminación de la guerra, utilizando el marmol de la destruida Cancillería de Adolfo Hitler.

84 Cruce en memoria de las víctimas de las medidas interceptoras del Este en las inmediaciones del Oberbaumbrücke. El Spree forma aquí la frontera entre Berlín Este y Oeste.

85 En el intento de salvar los obstáculos fronterizos hacia Berlín Oeste perecieron, desde el 13 de agosto de 1961, más de 80 personas.

86 Una ojeada al Oeste desde el Este. Desde 1972, los habitantes de Berlín Occidental pueden visitar la otra parte de la ciudad y la RDA 30 días al año.

87 El muro, vigilado por soldados del "Ejército Popular Nacional", tiene una longitud de 47 kilómetros.

88 Una calle de Berlín Este vista desde la parte occidental. Hasta 1967 circularon también tranvías en Berlín Oeste.

89 Vista del Havel, que forma en el norte de la ciudad la frontera entre Berlín Oeste y la RDA.

90 Pescador en el Glienicker Brücke. Por el centro de este puente sobre el Havel discurre la frontera con la RDA. En 1949 recibió en la parte oriental el nombre de "Puente de la Unidad".

91 Paseantes en el Tegeler Forst, uno de los bosques más bellos de Berlín. De la superficie total de Berlín, el 17 por ciento (unos 157 km^2) está cubierto de bosque.

92 Vista de los campos de aguas residuales al oeste del Havel. Acondicionados en 1890, todavía hoy sirven en parte a la labor depuradora.

93 Puente sobre el canal de Teltow en la frontera con Berlín Este. El canal, de 37 kilómetros de largo, forma el enlace entre el Dahme y el Havel.

94 Viejo molino en la Buckower Damm de Britz. La antigua aldea de Britz, fundada en el siglo XIII, atrae en primavera a una multitud de berlineses a contemplar los árboles en flor.

95 Vista de la Isla de los Pavos Reales en el río Havel. El pequeño palacio de estilo romántico fue construido en los años 1794–1796 por Federico Guillermo II.

96 Pescadores en el Tegeler See. Con sus riberas pobladas de bosques y numerosas islas, es una zona de excursión y recreo muy frecuentada.

97 arriba Merienda dominguera en el parque público de Kleinglienicke. Este antiguo parque del palacio del príncipe Carlos de Prusia fue trazado en 1825 por el arquitecto de jardines Lenné.

97 abajo La playa de Wannsee, la mayor y más bella de Berlín. En verano hay días en que esta playa de un kilómetro de larga es frecuentada por docenas de miles de bañistas.

98 arriba El paisaje de los campos de aguas residuales en Gatow, similar al de las landas, ha sido descubierto por los berlineses en los últimos años como zona de recreo y esparcimiento.

98 abajo Esculturas en el Tiergarten previstas para la restauración. Muchos monumentos históricos y estatuas están muy dañados o deteriorados por la acción del tiempo.

99 Estación de rádar en el Teufelsberg del Grunewald. Este monte artificial se formó de escombros después de 1945.

100 Arte moderno en la Nueva Galería Nacional, que reúne las existencias de la Galería Nacional, de la Fundación Patrimonio Cultural Prusiano, y las de la antigua Galería del Siglo XX.

101 La famosa dadaísta Hannah Höch, nacida en 1889, que con sus collages sigue influenciando hasta el presente el arte berlinés.

102 El pintor Klaus Fussmann y los objetos de su estudio: su pequeño mundo. Las cosas en los cuadros de Fussmann parecen distribuidas en espacios de un "nuevo paisaje".

103 El pintor Johannes Grützke y su modelo. Los cuadros de Grützke muestran una realidad dominada por figuras humanas desfiguradas por igual.

104 Esculturas en el taller de fundición Noack en el barrio de Friedenau. Fue fundado en 1897 y goza hoy día de fama mundial.

105 El escultor inglés Henry Moore revisa una de sus esculturas fundidas en Noack.

106 Friedrich Schröder-Sonnenstern, un individualista y raro exponente de la escena artística berlinesa. Con su estilo ingénuo-patológico atrajo la atención internacional.

107 La Nueva Galería Nacional, terminada en 1968 conforme a un proyecto de Mies van der Rohe, reúne importantes pinturas y esculturas de la época romántica hasta el presente.

108 Familia de artistas de un circo ambulante. La gran época del circo pasó hace tiempo; pero los berlineses sienten todavía predilección por el espectáculo circense.

109 Matthias Koeppel, cofundador de la "Schule der Neuen Prächtigkeit" berlinesa. Koeppel pinta escenas sociales ante el trasfondo de la moderna técnica y civilización.

110 El escultor Heinz Otterson, que con sus fantásticas figuras de chatarra crea divertidos símbolos de la época de la máquina.

111 arriba Joachim Schmettau, cuyas esculturas con sus exageradas formas expresan lo humano al desnudo.

111 abajo Harro Jacob, profesor igual que Schmettau en la Escuela Superior de Arte y, como tal, uno de los inspiradores del arte escultórico berlinés del presente.

112 Fritz Köthe, un representante del pop-art alemán cuyas obras han logrado aceptación internacional. Los cuadros de Köthe son como carteles artísticos que condensan ópticamente el moderno mundo consumista y publicitario.

113 Eugène Ionesco, junto con Beckett famoso dramaturgo de lo absurdo, en un momento de la puesta en escena de una de sus obras en Berlín.

114–115 Escenas del mundo shakespeariano revivido aquí por el conjunto de la Schaubühne am Halleschen Ufer, que en pocos años se ha convertido en el teatro más importante del área lingüista alemana.

116 arriba Prueba de "Wozzeck", de Alban Berg, en la Opera Alemana de Berlín, que figura hoy entre los teatros de ópera más destacados del mundo.

116 abajo Martin Held, uno de los grandes de la escena alemana y actor berlinés adscrito al teatro del Estado. Entre los teatros del Estado en Berlín Oeste figuran el Schiller-Theater, el Schlossparktheater y la Schiller-Theater-Werkstatt.

117 También como escenario de ballet goza de fama internacional la Opera Alemana de Berlín. En su conjunto figura la gran bailarina Eva Evdokimova.

118–119 En el vestuario y en el escenario: imágenes del "Chez nous", el cabaret de invertidos más famoso de Berlín.

120 Comerciante de antigüedades en la Fasanenstrasse. Junto con numerosas tiendas de antigüedades han ido surgiendo comercios cambalacheros y rastros.

120 abajo El Berlin-Museum en la Lindenstrasse, distrito de Kreuzberg. Este museo proporciona una visión del desarrollo de la ciudad y de la historia cultural de Berlín. El edificio barroco, construido en 1735, fue en otro tiempo sede del tribunal cameral.

121 La Filarmónica, proyectada por Hans Scharoun, en la periferia del Tiergarten. Aquí tiene su domicilio la Orquesta Filarmónica de Berlín con su director Herbert von Karajan.

122 Salerosa y con sentido crítico, esbelta y bella: atributos que suelen aplicarse a la berlinesa. Desde los años sesenta, Berlín Oeste es un centro del movimiento feminista alemán.

123 La taberna de la esquina. Aquí, después del trabajo, el berlinés acostumbra a sorber su cerveza, acompañada por lo general de una copa de aguardiente.

124 Partido de fútbol Hertha BSC contra Tennis Borussia. El encuentro entre ambos rivales locales atrae a docenas de miles de espectadores al Estadio Olímpico.

125 Hinchas del Hertha BSC, el equipo balompédico berlinés más conocido. Fue fundado en el año 1892 en un vapor de recreo denominado "Hertha".

126 Paisaje del Havel en la gran ciudad. El Havel, uno de los ríos más bellos de la Marca de Brandeburgo, recorre los distritos berlineses occidentales de norte a sur.